おむすびの祈り

「森のイスキア」こころの歳時記

佐藤初女

集英社文庫

耐えがたきを耐え
忍びがたきを忍び
許しがたきを許し
あたたかい太陽を思わせるやさしい言葉
冬のきびしい寒さにも値する愛情ある助言
慈しみの雨のように涙を流して共感する
なごやかな風を思わせる雰囲気
それが母の心

佐藤　初女

おむすびの祈り　目次

第一章　冬　いのちへの気づき

第二章　春　人生の種蒔《ま》き

第三章　夏　心で生きる

第四章　秋　希望の鐘

ブックデザイン■渡辺貴志

おむすびの祈り

「森のイスキア」こころの歳時記

第一章　冬　いのちへの気づき

のイスキア

私、〝面倒くさい〟っていうのがいちばんいやなんです。
ある線までは誰でもやること。
そこを一歩越えるか越えないかで、
人の心に響いたり響かなかったりすると思うので、
このへんでいいだろうというところを一歩、もう一歩越えて。
ですからお手伝いいただいて、
「面倒くさいからこのくらいでいいんじゃない」っていわれると、
とても寂しく感じるのです。

青森県弘前《ひろさき》市に住む佐藤初女《はつめ》さんのもとには、もう三十年も前から、心を病んだ人、苦しみを抱えた人たちが自然に集まってきます。そんなとき、初女さんは、その季節に土地で採れた新鮮な材料を使って、おいしいものを作り、食べさせてあげ、黙って傍らに座っています。

大勢の方が初女さんに癒《いや》されて社会に帰っていき、その人たちの奉仕や寄付によって、岩木山《いわきさん》の麓《ふもと》に「森のイスキア」と呼ばれる憩《いこ》いと安らぎの家ができました。

皆の夢がかなう日

津軽平野の西端にそびえる霊峰岩木山の麓、湯段《ゆだん》温泉の地に、憩いと安らぎのための家「森のイスキア」が完成したのは一九九二年十月十八日のことです。この日は、私の生涯の中で最も感動的な記念すべき日となりました。長年求め続けていた夢がようやく実現したからです。

「森のイスキア」ができる前は、弘前市内の平屋の自宅に二階を増築し、そこを「弘前イスキア」と名づけ、悩みや苦しみを抱える人たちを迎えていました。不登校、家族間の不和、心の病など、心に苦しみを抱えている人には、それを受けとめてくれる人と、場所が必要です。それがあれば苦しい時期も耐えることができ、次へ進むことができます。しかし、自宅に長期間、人を受け入れることにはどうしても限界があります。十年あまり経過する中で、「森に囲まれた自然の中にみんなが集い、安らげる場があれば」と切に思うようになりました。その強い思いがあったからこそ、「森のイスキア」は完成にまでたどりつきました。

とはいえ、私に手持ちの資金があったわけではありません。十年ちょっとという短い期間で、念願の計画を達成できたのは、神様のお計らい以外の何ものでもないと確信せずにはいられません。

桜が美しい夜に

その幸運が訪れたのは、弘前の桜の季節のことでした。桜はいつも私に何か見えない力を与えてくれるようです。

それまでの私たちの活動に理解と賛同を示してくださっていたある万のお父様が、

「弘前の桜をスケッチしたい」

と、東京からご夫妻でおいでになりました。お父様は、

「ホテルを取りますので、何も心配はなさらないでください」

とおっしゃいます。でも私は、

「せっかくお越しになったのですから、ぜひご一緒にお食事をいたしましょう」

と申し上げました。

お食事といいましても、何か特別なご馳走《ちそう》を用意したわけではありません。ちょうど山菜の季節でしたから、わらびやこごみなどを主にして、土地の料理で食事を共にしました。ご夫妻はそれを大変喜んでくださって、

「これこそ、本当の食です。今、東京の食は大変堕落しています」

と都会の食生活を嘆かれます。あまりにも喜んでくださるものですから、私もつい嬉《うれ》しくなって、

「明日の朝もいかがでしょうか」

とお誘いしますと、

「よろしければ、また来たい」

とおっしゃってくださいました。

翌朝、ご夫妻はホテルからタクシーで我が家にお見えになり、朝の食事も一緒にいただきました。お昼は公園の桜を見ながらいただきましょうということになり、今度はおむすびを持って出かけました。こうして三日間、食事を共にする交わりを持つ中で、その方は、ぜひ私にお話ししたいことがあるとおっしゃいました。

満開の桜が美しい夜のことでした。

「初女さんのことはかねがね娘から聞いていましたが、実際自分でここに来て、お目にかかってお話しする中で、この活動を日本全国で展開してほしいと思うようになりました。しかし、誰もが簡単にできることではありません。ぜひ初女さん自身の手でこの活動をもっと広げてください。その上で私に何か支援できることはありませんか」

と訊《たず》ねられます。

私はかねがね、この活動を自然に恵まれた場所で広げていきたいと思っていました

ので、即座に、

「私には夢があるんです」

と申し上げました。

「それはどんな夢ですか」

「自然の中に、この活動を展開していきたいのです」

「ではぜひ一緒に実現しましょう。どうぞ土地を探してください」

この一言がきっかけとなり、長年抱いてきた夢が、一気に実現へと向かったのでした。

霊峰岩木山の麓の地

実は心に描いていた場所がありました。家を建てるあてがあったわけではないのですが、いつか夢がかなう日のためにと、土地を探していたのです。豊かな自然の中というのが私の条件でしたので、霊峰岩木山のまわりをほうぼう見て歩いていました。

そしてよさそうな土地があれば、

「売り地ですか。誰のものですか。何坪くらいありますか」

と訊ねまわっていたのです。けれども、心から納得できる土地には出会えずにいました。そんなある日、岩木山の麓の湯段の地で、別荘地が分譲されていると聞いたのです。

早速行ってみましたら、百坪ずつ分割されて、三十区画ほどが売りに出されていました。しかし、空いている区画で私がほしいと思うところはありませんでした。

かつて、私は、母校明《あけ》の星《ほし》学園の創立者に、何か新しい活動のために土地を求めるときは、後からさらに開いていけるところ、のばしていけるところを買うものですよ、と教えられたことがありました。

分譲地の続きには、三方を森に囲まれた土地がありました。その土地こそ私の思い描いていたとおりの土地と思い、私はそこをほしいと申し出てみました。しかしそこはまだ国土庁（当時）の認可がなく、売ることのできない土地だというのです。

「どうしてもほしいのですか。それでしたら国土庁に申請してみますが」

「ぜひお願いします」

私はその場でためらうことなく頼んでしまいました。が、内心では、さあ、認可が下りたらどうしようかと案じていました。買いたいといってしまったものの、買えるめどなどたっていなかったからです。

「認可が下りるまで、どのくらいかかりますか」

「そうですね、一年くらいはかかるかなあ」

それで、ホッとして、土地のことはそのままにしておりました。

神様のお望みで建てた家

支援の申し出をお受けしてからは、本格的に土地を探しはじめました。いくつか土地を見て歩きはじめて二十日くらい経ったときのことです。あの湯段の土地の業者から電話が入りました。

「その後、土地のことはどうなっていますか」

「お宅の返事を待っていたんですよ」

「そうですか。実はあの土地の認可が下りたので、売買ができるようになりました」

土地を提供してくださる方が現れたときと、私が最も望んでいた土地が売買できるようになったというときが一致したのです。これは神様のお望みにちがいない。私は大変勇気づけられました。

神様のお望みであれば、物事はスムーズに進んでいきますし、そうでないときは、それは神様がお望みではないから、無理をしてはいけない。私はいつもそのように物事を判断してきました。

ですから私は確信を持って、このことを進めていく決心をしたのです。

湯段の土地を、提供してくださるご夫妻にも見ていただきましたところ、大変気に入ってくださいました。

以前より私は、この活動を支えてくれる仲間たちと、土地があったらそこに家を建てましょう、そのときは皆で資金を出し合いましょうねと、よく話していました。そこでまず私たちは、建てる家を、小さな規模で設計し、それに伴う資金計画を立てはじめました。手持ちの資金はわずかなものでしたから、私たちの活動に賛同してくれる方々に援助をお願いするための、趣意書の作成にも取りかかりました。すると、まだその文案も定まらないうちに、一人また一人と協力者が現れたのです。

ある女性は、かねてから私たちの活動を最も理解してくださる方でした。以前に自宅の二階を増築して、「弘前イスキア」を開いた際にも、多額の寄付をしてくださいました。その方が、湯段に家を建てるために、当初見積もっていた予算の半分もの支援を申し出てくださいました。

私自身は、自宅を抵当に入れてでも、すべてを失ってでも、この新しい活動の場をつくることに身を投じようと思っていました。そしてそのように自分の心を決めた後は、一切を神様の思《おぼ》し召《め》しにおまかせする気持ちでいました。ですから、この女性の申し出を感謝してお受けするとともに、このことはやはり神様のお望みなのだという思いを一層強くしました。

まだ年も若く、けっして多くはない収入の中から出してくれる人もいました。ある人は老後のための貯《たくわ》えを、ある人は自分の家の建築資金を、また様々な人がこの夢の実現のためにと、これまでに届けてくれていた支援金の積み立ても、この際、建築資金に加えることにしました。このように資金は続々と寄せられてきたのですが、まだどうしても目標額に届きません。思案に暮れていたときに、今度は関西に住む老夫婦がちょうど足りない分の額を寄付してくださることになりました。私たちはこのことでどれだけ勇気づけられたかしれません。

皆の願いを託した家は、雪解けを待って一九九二年六月にいよいよ着工し、七月の上棟式を経て、十月の完成へと至りました。

その家は愛と信仰の泉「森のイスキア」と名づけられました。落成の祝別式には、これまで、夢の実現を祈りつつ支援してくれた人々が約百六十名集まり、喜びを共にしました。

実際、この完成までに、どれだけ多くの人が様々な形で、協力、支援を申し出てくれたことでしょう。支援者の多くは、長年の親交の中で私の生き方を深く理解してくれている人たちです。またそれだけでなく、工事をお願いした開発会社や建設会社の方からまで、大きな力添えをいただきました。

例えば、私はかねがねお風呂はできるだけ広い方がいいと願っていましたので、この機会にそれを実現したいと思っていましたところ、

「それでしたら、お風呂を広くする分を協力しましょう」

と風呂工事費用を負担してくれる人も現れました。湯段に湧く温泉をひいたお風呂は、「森のイスキア」の自慢の一つになりました。

備品についても、電子オルガン、家具や食器、寝具、その他必要なものが全国から続々と贈られてきました。

このようにして、家が建つだけでなく必要な備品までが揃《そろ》い、三十名くらいの収容の準備が整ったのです。

イスキアの名の由来

家は完成したものの、雪の深い土地柄、冬の間は本格的な活動に入らず、春の訪れを待ちました。その間も森の家を見に訪れる人は多く、嬉しそうに心待ちしている様子を見ていまして、

「安らぎの場こそ、今求められているものだ」

と実感しました。

イスキアとは、イタリアの南西にある火山島の名前です。「弘前イスキア」と「森のイスキア」はこの島にまつわるエピソードにちなんで名づけられました。

ナポリの大富豪の子息で、美しく教養の高い青年がいました。地位にも財産にも能力にも恵まれ、何不自由なく生きてきた青年でした。ある夜彼は、愛する美しい娘とボートで湖に漕ぎだしました。娘が彼の愛を受け入れ、満ち足りた思いに至ったその瞬間に、彼はどうしようもない虚脱感と倦怠《けんたい》に襲われました。それ以後何もかもが退屈で何をする気にもなれなくなってしまった彼が、ふと思い出したのは、少年時代に父親に連れられて訪ねたイスキア島のことでした。彼は、「みずみずしい感性で、すべてのものに好奇心を持ち、生き生きとしていた自分をもう一度取り戻したい」と願い、一人イスキア島に出かけます。

今は廃墟《はいきょ》となって誰も住む者もいない島の真ん中に教会があります。青年はその一角にある司祭館に住むことにしました。

地中海に浮かぶイスキア島から眺める風景は静寂に包まれ、夜になると塔も城壁も月光を浴びて光り、一幅の絵のような美しさでした。この美しい風景を眺めながら、青年は、自分自身を見つめ、新たな力を得て現実の生活に立ち戻ることができるようになりました。

この物語から、私たちも、どうにもならない心の重荷を感じたとき、そこへ行けば癒され、自分を見つめ、新たなエネルギーを得ることができる、そんな場になってほしいと、私たちの家をイスキアと名づけたのでした。

これは後になってわかったことなのですが、不思議なことに、イタリアのイスキア島とこの「森のイスキア」は、ほとんど同じ緯度にあります。島には温泉があり湯段も温泉地、あちらは避暑地、こちらも別荘が並ぶ避暑地。偶然の一致とはいえ、そこにやはり神様のお望みを感じずにはいられません。

「森のイスキア」を支える人たち

弘前の桜の季節、五月の連休が「森のイスキア」の事実上のオープンとなりました。北は北海道、南は沖縄まで、訪れた方は五十名にも達しました。

訪れたお客様を駅へ出迎えるのはクリーニング屋を営み、フゴン車を持っているK

さんです。到着後の食事の支度は、養護施設で給食などの仕事をしている人たちが、その経験を生かして腕をふるってくれます。また、掃除に来たり、布団を干しに来たり、採れたての新鮮な野菜を届けてくれる地元の人たち。人生の試練の時期にここと出会い、立ち直って元気になってからもここを心のふるさとと呼んで、折りあるごとに協力してくれる人たち。「森のイスキア」はこのようなたくさんの人に様々な形で助けられながら、訪れる人たちを迎えています。

ここでは、どんな方も歓迎です。過去の経歴、社会的立場といったものにとらわれることなく、目の前にあるがままの、その人の姿を受け入れ、その痛みを見つめ、その話す言葉に耳を傾ける、これが活動の基本です。

訪れた人とはまず手料理で食膳《しょくぜん》を共にします。春でしたら、ふきのとうやたらの芽、わらび、うどなどの山の幸、そして北国ならではの海の幸が食卓に賑《にぎ》わいをもたらします。岩木山の麓の澄んだ空気と豊かな緑に囲まれて、自然の恵みを与えてくださった神様に感謝しながら一緒に食事をいただくと、緊張もほぐれて、ゆったりした気持ちになっていきます。そんなところから、苦しみの中で閉ざされていた心の扉が

少しずつ開きはじめることもあります。

訪れた方は、「心のふるさとにたどりついた気がする」「生きることの原点を教えてもらった」「人生の岐路を乗り越える勇気が湧いた」など様々な思いを抱くようです。共通するのは、皆、休息と安らぎを得て、元気を回復していくということです。

支えるとは共にいること

悩みに押しつぶされそうになる人、心を病む人というのは、もともと心が純粋で、繊細なのだと思います。心に傷を負ったとき、すぐに家族や友人たちの中に支えてくれる人を見つけることができればいいのですが、それができないと、どうしたらよいのか自分ではわからなくなって、精神状態が大変不安定になってしまいます。

そのような人がここにくると、私は、その人の話したいこと、思っていることを全部受けとめて聞くようにしています。「あなたはそういうけれど、それは間違っている」とか、「こうすればいいのよ」とか、途中で話をさえぎるようなことはしません。そのようなことをすれば、相手はせっかく開きかけた心をまた閉ざしてしまいます。

また、ただぼんやりと聞いているだけでは、相手もなかなか話してはくれません。「そうね」「それじゃあ、大変だったたね」と、自分をその人の身に置きかえ、共に喜び、共に悲しむという気持ちで聞いていると、自分が受け入れられているという安心感からなのでしょう、次から次と、心の内を話してくれるようになります。そうして、最後には私がその人に最も伝えたいと思っていることに自分で気がつき、自分で答えを出していきます。

悩みを抱える人の多くは、本当はどうすればいいのか、自分でわかっています。ですから、ああしなさい、こうしなさいと、指図をするのでなく、そばにいて共感し、その人が自分なりの解決の方法を見つけるのをお手伝いするのが、私の役目なのです。

心の詰まっている人は食べられない

このように、人生に悩み、精神的に屈しかかった人たちを、自宅に受け入れ、共に歩みはじめてもう三十年以上になりますが、食事と生き方との間には神秘的なつながりを感じずにはいられません。

食べることと、その人のそのときの心境とは一致しています。ですから心の中が詰まっている人はなかなか食べることができません。

不登校、家族間の不和、借金など、人々が抱える問題は、時代と共に変化していきます。ですが、訪れるどの人も胸いっぱいに辛い思いを詰まらせ、背負いきれないほどの重荷を抱えこんでいることに変わりはありません。

「誰かにこの気持ちをわかってもらいたい」「なんとか立ち上がって、歩き出す気力を取り戻したい」と必死の思いでここを訪ねてはくるものの、言葉が出るまでには時間がかかるものです。こわばった顔つきで、しばらくは緊張した空気が漂います。

お茶をすすめ、用意したお菓子などを出しますが、はじめのうちは、なかなか飲んだり、食べたりすることができません。一言二言、ぽつりぽつりと話し出し、ようやく湯飲みに手を伸ばし、喉を潤すうちに、表情も和《なご》んで、落ちつきを取り戻していきます。何も受けつけなかった人が、少しずつ食べられるようになるのを見ていると、やっと心が動きはじめたのだなあということがわかります。

初女さんは、女学校時代、父親が事業に失敗し、住む家も財産も失うという体験をしました。そのことが引き金となって、胸を患い、十七年間にも及ぶ病との闘いが始まります。この体験が初女さんに「食べる」ことの尊さへの気づきをもたらしました。

病気との闘いのはじまり

病気になった原因というのははっきりしています。私の父はいつでも夢を追いかけるタイプの人で、自分で事業をしていました。あるとき、人に頼まれて保証人になったのですが、それで失敗をしてしまい、損失を取り返そうと今度は株を買ったのですが、それも失敗。ついに私たちの住んでいる家が差し押さえられてしまいました。

私たち一家は家を手放さなくてはならなくなったのですが、すぐにというわけではなく、家を明け渡すまでには、一、二年の期間がありました。長女の私は、その間の両親の困窮の様子をずっと見ていました。

学校にも通えなくなるのではないか、家はどうなるのか。少女時代の私はその不安と苦しみを大きく体全体で受けとめていました。

あるとき、胸が苦しくなって喀血《かっけつ》したのが病気のはじまりでした。肺浸潤《はいしんじゅん》でした。笑っても血管が切れるので、声を出して笑えません。咳《せき》をすればもちろんのこと、下駄を履いて歩くと、胸に響いて血管が切れるので下駄も履けません。もちろん重いものも持てません。

私は「我が身試さん」という思いで、力を振り絞り、やれるところまではやってみようと思い、血を吐くほど苦しくても、学校へ通い続けました。今思えば、若さゆえのことだと思います。

そんなある日、大喀血をしました。寝ていて吐いた血が、洗面器を通して襖《ふすま》に飛び散るほどの大喀血で、そのときはもうまったく動けない状態になりました。

それで、病気であることをわざと気にしないようにして、無理とも思えることを続けるのもよくないことだと思い直し、今度は体をいたわってみたりもしました。

その頃私は、注射や薬の効き目は些細《ささい》なもので、これではなかなか治らないということを感じていました。反対に、食べ物をいただいたときには体に力強さがみなぎるのを感じたので、これからは注射や薬に頼るのでなく、食べることで元気になろうと思うようになりました。それが、私が「食べる」ことと深く関わって生きるようになるきっかけでした。

食べることでいのちをいただく

もともと私は食べることが好きでした。といっても、冬に西瓜《すいか》を食べるなど、珍しいものを食べたい、高価なものを食べたいということではありません。野菜でもお魚でも、旬《しゅん》の新鮮なものを、素材そのものの持つ味わいをいかしておいしく食べたいと、いつも思っていました。

ある春のことです。芽吹きの季節は体の細胞も動き出すのでしょうか。病気の頃は、この時季になると、症状が重くなって、寝込むことがしばしばでした。そんなとき、お見舞いで鯛《たい》を届けてくださった方がありました。この季節の鯛は、ところによっては桜鯛とも呼ばれ、旬なのだそうです。この鯛を、潮汁《うしおじる》や京ぶきを添えたあら煮などにしていただきました。このときの体にしみいるようなおいしさは、今でも忘れられません。

注射や薬が体に入ってきても、特に何も感じないのですが、このように食べ物をおいしいと思っていただくときには、細胞が動いて、体のすみずみまでエネルギーが伝わっていく感じがします。そして、もっと食べたいという気持ちが湧き、そのことが体を元気にしてくれます。ですから、私は今でも薬を飲むことはめったにありませんし、病院へもほとんど行きません。風邪をひいても、食べることで治します。

自然の素材の一つ一つには、皆、かけがえのないいのちが宿っています。食べるということは、そのいのちをいただくことだと、私は思っています。野菜一つにしても、季節によって、味わいや香り、含まれる水分の量など、状態はいつも違います。一つ一つの素材のいのちを生かすような料理をして、それをおいしくいただくことで、人も生かされます。病気だった私が、今、夜少しぐらい眠らなくとも耐えられるまで回復できたのは、そのおかげだと思っています。

病の体験から与えられたこと

病気が治ったと感じたのは三十五歳ぐらいの頃でしょうか。十七歳での発病以来、ずっと寝たり起きたりの生活が続いていたのですが、自然と少しずつ体を動かせるようになっていきました。もう闘病は終わったとはっきり実感したときには、健康であること、そして働けることへの喜びと感謝でいっぱいでした。これ以上の幸せはない、これからはもう何をすることも厭《いと》わないという思いでした。

よく、「何で私だけがこんな辛い仕事をしなくてはいけないのか」と、不満をこぼす人がいます。ずっと健康に過ごしてきた人は、働けることの喜びになかなか気がつかないようです。でも本当は働けないことの方がずっと辛いのです。私は、多くの人に支えられて病気を克服するという体験の中から、生きる上で、人のために働けることにまさる喜びはないということを学びました。

また、今、私は心や体を病む人と接する機会が多いのですが、自分の体験から、その人たちのために親身になって考えてあげることができます。お見舞いや看病の仕方、どうすれば病人が癒されるかということが、単なる言葉や知識としてでなく、体でわかっているからです。

十七年余りの闘病生活は、人生にとってはマイナスの時間と人には思われるかもしれません。ですが、私は、闘病の体験から、病で苦しんだこと以上に大きく大切なものを与えられていると思うのです。

自然のいのちに料理という手を加えながら、そのもとのいのちを新しく生かしていく。そこに初女さんの食べ物のおいしさの秘密があります。おいしく食べさせてあげたいという初女さんの心が、自然のいのちと人のいのちをつないでいきます。

自然のいのちを料理でつなぐ

すべて、いのちあるものと接するときには、私は精いっぱいの心をつかいたいと思っています。それが人であれ、料理の素材であれ、同じことです。ですから、料理をするときには、まず素材の気持ちになって、常に心を通わせることを大切にしています。

例えばほうれん草を切るにしても、ただ適当に切るのでなく、葉の束をきちんと揃えて切ります。乱切りという切り方がありますが、このときもバラバラに切るのでなく、一つ一つの形を大切にして切るようにします。何でもないことのように思われるかもしれませんが、そうすることで、お浸しも煮物も、味がまったく違ってきます。

野菜をゆでるときは、やわらかくなりすぎて、素材が持ち味を失ってしまうことのないよう、細心の注意をはらいます。和《あ》え物にする人参《にんじん》でしたら、あまり薄く切らず、食べやすい大きさで、ゆでるというよりも、ほんのわずかの水で蒸すような感じで。まだかたさのあるうちに火を止めて、あとは余熱で蒸しますと、ちょうどいい歯ごたえが残ります。またこの辺りでは、黄色い菊の花びらをよくいただくのですが、それをゆでるときも、沸いたお湯に花びらを放って、一呼吸おいたところで火を止めてしまいます。そして水を切るときも、きつくではなくふんわりと絞るようにすると、咲いていたときと同じような鮮やかな色と、しゃきしゃきとした歯ざわりが残ります。

　最近は、口当たりのやわらかい食べ物が好まれていると聞きますが、私は食べ物は歯ごたえのあるものが好きです。歯ごたえのあるものは、よく噛《か》まなくては食べることができません。よく噛み込むことで、だんだんと深い味が出てきます。それが、素材の持つ本来の味わいだと思うのです。ご飯もそうです。私はよく常備菜として佃煮《つくだに》や塩コブをつくるのですが、ちょっとかために炊いたご飯と一緒にいただくと、佃煮やコブのうま味と、ご飯の甘みとが共に引き立てあって、とてもおいしいものです。

　そして、味つけ。名コックは一つの料理を完成させるのに、六十回も味見をすると聞いたことがあります。塩を何グラム、砂糖を何グラムと、本に書いてあるとおりに計ってつくっても、求めている味をすぐ出せるわけではなく、何回も何回も真剣に味を見ていくなかから、本当のいい味を見つけるのだといいます。私も、だしをとるところから、調味料で味つけをするまで、自分の舌で確かめながら、納得のできる味を見つけていきます。また、もっといい味にできないか、素材を生かす新しい味はないかと、いつも工夫を続けています。よい味というのは、何グラムとか小匙《こさじ》に何杯とか、数字では表すことができないものです。

私たちは食べることを通して、自然からいのちをいただき、それを私たちのいのちへとつないでいきます。ですから、お料理は、素材との出会いから仕上げまで、片時も心を離すことができません。心を込めてつくり、おいしくいただくこと、それはいただいたいのちへの感謝であり、祈りなのです。

一切れのパンをわかちあう

弘前の自宅を開放するようになってからは、約束をしていたわけでもないのに突然、人が来ることもよくあります。やってくる人はたいていはせっぱつまった悩みを抱えていて、食べるどころではありません。でもお茶や食事の時間になれば誰でもお腹が空きます。私は一回一回の食事をきちんといただくことをとても大切に考えていますので、特に何の支度をしていないときでも、私は時間になれば「一緒に食べませんか」と声をかけるようにしています。

そんなこともあって、一人で食事をするときでも、ご飯だけは二、三人分を用意します。ご飯さえあれば、お漬物やおつゆを添えるだけで、いつ誰が来ても一緒に食事をすることができます。

こんなこともありました。心を病み、家庭にも居場所のない二人が訪ねてきたときのことです。ひとしきり二人の話を聞いているうちに、夕食の時間になったのですが、あいにくその日私は、前日に留守をしていて、ちょうど家に戻ったばかりでしたので、何の準備もしてありませんでした。

そこで、パンが一切れだけありましたので、それを三等分していただきました。すると二人は「おいしい」「おいしい」と、こちらが何がそんなにと思うほど、喜んで食べるのです。でも、パン一切れの三等分だけでは足りないと思い、ちょうど塩コブができていましたので、それでご飯をいただこうとして、お釜をのぞいてみますと、ご飯も少ししか入っていません。その一膳ばかりのご飯をまた三等分して、塩コブと梅干しをのせて、お茶漬けにしていただきました。二人はそれも大変喜んで食べました。

共に食べられるということは、互いに信じ合っているということなのでしょう。

人は、心が通じ合う相手とであれば、どんなささやかなものでもおいしくいただくことができます。ですから、私は、何も用意をしていないとか、何もご馳走がないということを気にせず、そのときあるもので工夫をして支度をします。形を整えることよりも、どんなときにも誰とでも気負うことなく食卓を共にできることが大切だと思うのです。

和尚様と一杯のお粥

あるとき、ガールスカウトの活動の一環で、子どもたちとお寺に座禅に行く機会がありました。座禅をした後にお粥《かゆ》を出していただくことになっていましたので、事前に人数を決めて申し込んでありました。すると当日になって、参加を希望する子が、次から次へと増えていきます。人数が増える度に、和尚様《おしょう》のところに行って、

「すみません、また増えたんです」

と伝えますと、和尚様は、

「はいはい」

と快く返事をしてくださいます。

「申し訳ないんですが、またひとり来たんです」

三回目に行くときには、きまりが悪くて身も小さくなる思いでした。

すると和尚様はそばにあった大きな柄杓《ひしゃく》を持ちあげてこうおっしゃったのです。

「何も心配することはないんですよ。ただこの柄杓に水を入れて一杯足せばお粥は増えるんですから」

聖書の中には、イエス・キリストが五つのパンと二匹の魚を何千人もに食べさせたという話が出てきます。私は和尚様のこの言葉を聞いて、聖書の話の意味を、初めて本当に理解できたように思いました。「もうこれ以上は無理」と枠をつくってしまうのでなく、「ひとりでもたくさんの人に食べさせたい」という思いを広げていく。和尚様のこの言葉は、聖書の話につながるものだったのです。

ですから、「森のイスキア」で大勢のお客様をお迎えするときも、一人一切れずつ、一個ずつといったものだけでなく、人数が増えてもすぐに増やせるものを必ず用意しておきます。汁物やカレーライスでしたらすぐに量を加減できますし、煮物や和え物も、大きなお皿に盛って皆でいただくことができます。そうすれば、人が増えても気を揉《も》んだり、ハラハラすることもありません。

祖母の心を受け継いで

私の祖母は、食事をしているところに誰かが来ると、

「これどうぞ食べてみてください」

と、いつでも自分の分をわけてあげるような人でした。

昔は、魚屋さんや八百屋さんは、その家にあった品物をみつくろってお得意さんの家を訪ね、ほしいものを選んでもらって商いをしていました。家では、その人たちが持ってきたお弁当を食べるための場所を台所の一隅に決めてありました。祖母はその人たちにお茶を出したり、またときにはおやつを出したりしていました。その人たちが家に寄って楽しそうにひと休みしている様子を見るのは、子どもながらにとても嬉しいことでした。

また祖母は、一人暮らしをしている親戚《しんせき》や、母親を亡くした子どもたちを、お節句

やお正月、お祭りなどことあるごとに家に呼んで、私たちと一緒に遊ばせたりもしていました。そして、帰り際には必ず何かお土産《みやげ》を支度して持たせていました。

私が、今、悩みや苦しみを抱えて訪れる人たちに、おいしく食べさせたい、喜んでほしいと食事を用意し、また帰る人には何かちょっとしたものでもお土産をと思うのは、この祖母の心を受け継いでのことなのかもしれません。

食が絆を深める

近頃は一緒に暮らしている家族でも、それぞれの生活の時間がバラバラになって、食卓を共にすることが少なくなったといいます。また、女性の中にも、空腹さえ満たせば事足れりと、食事の支度を、店屋物や既製のおかずでそそくさと間に合わせる人も増えているようです。

私は、いろいろな人と一緒に食事をつくる機会が多いのですが、最近は、料理の本や料理番組を見て、材料が一つでも欠けていればつくれない、全部分量通りでないとつくれないと思う人が増えているように思います。私は、料理とは、まず素材を見て、どのようにつくればその素材のいのちが生かされるかを考えていく、創作の営みだと思っています。ですから、材料がなければ別の素材で工夫してつくればよいわけですし、同じ材料、同じ方法で料理をしても、できあがったものには、つくる人の個性がはっきりと表れます。それが、その人だけが持つ「持ち味」です。

一食一食に心を込めてつくる喜び、その味わいは、女性として母親としての私たちに与えられた恵みではないでしょうか。

私の知人のお子さんが、就職で親元を離れたときにどうしても食べたくなったのは、お母さんがお正月につくる「なます」だったそうです。また、仕事の関係で宴席ばかりが続いた知り合いの男性は、奥さんが手ずから漬けたお漬物こそ最高のご馳走だと思うようになったといいます。家族の絆《きずな》というのは、家庭での食によってつながり、深まっていくものなのです。

すりこぎの贈り物

私がお料理をするときに、とても大切にしている道具の一つにすりこぎがあります。

もう五十年も前になりますが、私が結婚するとき、叔父からお祝いにすりこぎを三本もらいました。叔父が持っていた山の木でつくったもので、形も自然のまま、ところどころ皮も残っていたりして、今お店で売っているような、きれいなものではありませんでした。

使っているうちに、艶《つや》が出るぐらいにつるつるしてきました。また、先がどんどん減って、だんだんと短くなってしまいました。

使われている木は、寒い中でゆっくりゆっくり成長して五十年は経っていますから、年輪がとても細かくて堅い木です。柔らかい木でしたら、すぐに減ってしまい、こんなに何十年も使えなかったでしょう。

すっている間はずっと、家族やお客様など、食べてもらう人のことを思っています。あの人はこの和え物が好きだなとか、小学生の孫はおいしいって言ってくれるかしらなどと、ひとりひとりのことを考えながら丹念にすります。

このような心が、すりこぎの木が持っているいのちをとおして、素材にも伝わるのでしょうか。今でしたら、ミキサーやカッターを使う方が早いのでしょうが、やはりゴマもクルミも、すりこぎでする方がずっとおいしいと思います。

ですから、このような道具一つとっても、愛着が湧いてきて、ただのモノとは思えません。五十年の間、毎日のように使ってきましたので、だんだんと減って、とうとう最後の一本になってしまいました。かわいくてかわいくてしょうがないのだけれど、使わないわけにはいかないと思って使い続けていましたら、そのことを知った何人かの方が、すりこぎをプレゼントしてくださいました。また私はずっと何の木か知らずに使ってきたのですが、これは山椒《さんしょう》の木だと教えてもらいました。叔父からもらったのと同じように、新しいすりこぎも、大切に大切に使っていきたいと思っています。

お漬物との対話

漬物石のことも少しお話しいたしましょう。

私は、漬物石だけで、大きいものやら小さいものやら、二十個以上も持っています。お漬物を漬けるとき、素材の状態に合わせて、ちょうどよい大きさや重さの石を使いたいと思って、集めてきましたら、こんなにたくさんになりました。

お漬物をするときは、まず最初は重い石で野菜の水を出します。そして水があらかた出たところで、次にそれよりやや小さめの石に替えて、味をしみこませて、味を含んだところで小さな石にします。

ちょうどよく漬かったのを、いつまでも樽《たる》に入れたままでは味が落ちます。また量も少なくなってきますので、別の入れ物に移してふたをして、今度はもっと小さな石を載せておきます。その状態で冷蔵庫の中に入れておきますと、ずいぶんと長い間、そのままおいしくいただけます。

石を取り替えるタイミングというのは、言葉ではなかなか説明できません。野菜も水分の多いときとか少ないときがありますので、漬かるまでの時間というのは、そのときそのときで違ってきます。もういいかなあとか、ちょっと早いかなあというのは、自分の経験や感触で判断しますので、人に聞かれても、何日ぐらいとか何時間とか、はっきりとはいえません。

朝漬けたものでしたら、昼頃、どうなっているかなと様子を見て、上と下を替えてあげます。日中ばかりではなく、夜中にふっと目が覚めると、またどうなってるだろうなあと思いますので、起きていって様子を見ます。見ると、野菜の下の方まで水が上がって、上の方が「もうちょっと水が欲しいよ」というところで私を待っていたような、また「この石はもう重いよ」と思って私を待っていたような、そんな感じがします。そこでさっとひっくり返してあげたり、石を軽いものに替えてあげたり。お漬物をするときは、常にお漬物のことに心をかけています。

心を込めたお漬物を皆さんが「おいしい」といい、お漬物自身もそれを聞いて「嬉しい」といっているように感じられるとき、それがまた私の喜び、生きる力になります。

女学生の頃の初女さん

初女さんへの手紙

思い遥かに

小谷静江（女学校時代の親友）

佐藤初女さん、こうしてあなたに呼びかけると、あのなつかしい優しい面影が、まぶたに彷彿《ほうふつ》として浮かんでまいります。

初女さん、ありがとう。あなたとはまさに六十余年のおつき合いをさせて頂いて、その遠い遠い子供の頃の思い出に始まって、嬉しいこと、悲しいこと、困ったことなど何でも親身になって聞いてくださったことが、長い織物を繰るように今も鮮明に甦《よみがえ》ってまいります。しばらくこれらの思い出話にあなたの耳を、目を、心を貸してください。

初女さん、あなたや私の入学した公立の女学校は、函館山《はこだてやま》の麓にあり、その元町界隈《かいわい》は今でこそ、その独特な風景が売り物で多数の観光客がひしめき合う雑踏とはなっておりますが、その頃はひっそりとした聖地ともいわれるべき特異なところでした。女学校の隣にある教会はロシア系のハリストス正教会、いわゆるガンガン寺と称された美しい建物で、白い塔の周囲の草むらで四葉のクローバーを探したり、愛唱歌を歌って過ごした憩いのひとときなど、今も忘れることはできません。道路を隔てたところにはフランス系のカソリック教会がありました。三十三メートルほどの高い塔の裏の崖《がけ》には、ルルドのマリア像がひっそりと建っており、見上げる私どもの心は敬虔《けいけん》な思いでいっぱいになり、おのずから頭《こうべ》をたれるのでした。どちらの教会も、朝昼夕とそれぞれの鐘を打ち鳴らし、元町付近の人々の生活の指針となり、住民とは密着しておりました。大三坂《だいさんざか》を隔てて浄土真宗のお寺があり、そのうえの道を横切ると、聖公会がありました。また宵宮祭の楽しい船魂《ふなだま》神社は女学校の北側にあり、坂を下ったところに中国のお寺もありました。元町に生家のあった、かの、故亀井勝一郎氏の書かれたものによると、「世界の宗教が私の家を中心に集まっていた」とあり、古くからの開港場としての函館の面目を残している、類の少ない環境であったようです。

さて、初女さんと私とは、小学校時代同じ学習塾に通って勉強を共にし、昭和十年春、この公立の女学校に合格することができました。

公立の女学校は市内では一校でしたから、かなり難関でしたが、どうやら入学できまして、幸いクラスも同じになりました。通学の帰途、私などはまったくの好奇心からこれらの教会の扉の隙間や窓から内部を覗いたりしたものでした。まことに失礼な申し分ですけれど、こういう行動を共にした初女さんの信仰は、まさにこの十二歳頃の少女の頃に芽生えたものとばかり思っておりましたが、後年伺《うかが》ったところによると、もっともっと幼い頃からすでに心の中にはぐくまれていたものであることを承知いたしました。その年は、女学校は創立三十周年を迎えたのでしたが、それまでの白い衿の付いた和服のような感じの制服が改められ、一般に見られるセーラー衿に、スカートの襞は三十本と決められていたように覚えています。紺地に紺の線のセーラー服、そしてネクタイは紺色で胸に大きく結び、清楚な感じで、評判が良かったように思います。

初女さんは入学してまもなく、「入学の喜び」という作文が一学期の校友会誌に載せられました。真心の溢《あふ》れた快い文章だったことを覚えております。初女さんは私などより背も高く、髪も長く後ろに一本に束ねていたことが多かったようです。色白の上に、見るからに気高い風貌であったので「神　初女」（注　神《じん》というのは初女さんの旧姓）という姓名がどうしてこんなにぴったりなのだろうとよく思いました。生まれてから名付けられたのか、生まれる前から何か決まっていたことがあったのか、あなたの現在を思い合わせると啓示というものを感じない訳にいきません。

前述したように、学校の帰りには教会の周囲で道草を食ったり、公園にある図書館へ足を伸ばして文学書を読みあさったりしました。

当時は吉屋信子という女流作家がはやっていて、私どももその少女小説に夢中になったものでしたが、初女さんは、初夏の函館に匂っている鈴蘭の花を、東京の女史宅へ送り、女史からのねんごろな礼状の葉書をもらって喜んでいました。私もそれを見せてもらったものでしたが、思い立ったら一直線、といった純粋に燃えるものを秘めていた人のようでした。

良妻賢母育成の女学校では裁縫編み物の時間が大切でした。初女さんは縫い物も編み物も上手で器用でした。私など裁縫の先生は苦手でなるべく近づかないようにしていたものでしたが、初女さんはわからないところはどんどん追求して教わるという傾向で、私にしてみれば羨《うらや》ましいことでもありました。手をかけたら全力で打ち込んで、何が何でもさっさとやり抜いて仕上げてしまう早さには驚きました。初女さんは弟妹が多かったのでお母さんの手がまわりかね、お母さんの手助けにとセーターでも靴下でも手早く編み上げてその用にあてなければならなかった、と言っておられましたが、親思い弟妹思いのよいお姉さんでした。おこがましい言い方ではありますが「忘己利他」の心は、こうして少女の頃から培われていったのでしょうか。

私どもは二年に進級してからは組は別々になりました。三年になっても、四年になっても別々のクラスでした。しかし、私たちは——どの女学生もそうであるように——手紙をよく書いては手渡したり、また投函し合っては郵便配達の訪れを待ったものでした。学校内のこと、勉強のこと、級友のこと、文学書のことなどを思うまま書き、思いを述べ合いました。「語るに足る」と言っては失礼にあたるかもしれませんが「心友」と思い続けていたものでした。初女さんは、性温厚、親身になって相談事にのってくれたものでした。その敬愛される資質を備えた人格が、遂に今日に至って大を成されたのはまさに然《しか》るべきことでした。

昭和十三年、私どもの女学校も次第に戦時色が濃厚になり、裁縫の時間には、カーキ色の軍隊のシャツなどをミシンで縫うようになりました。縫製作業と言ったように覚えています。ミシンの針目数まで限られ、寸法など少しの狂いも許されず、こういう時は格別器用だった初女さんが思われました。この頃初女さんはすでに女学校を去って青森へ行かれていました。長い闘病生活が続くのでした。あなたの人徳を妬《ねた》むサタンの仕業でしょうか。私どもは、初女さんが治癒し校舎に戻られるのを待っておりましたのに、とうとう卒業の日になってもその期待はかなえられませんでした。長い闘病生活が、どんなに崇高な精神的影響をあなたに及ぼしたか、それは後日語られるべきことであって、私どもは、みごとに健康を取り戻されたあなたの底力に敬服し、心から祝福したいと思うのです。そして、栄光を把握された初女さんの今日を、双手を挙げて賛嘆するものであります。

初女さん、どうぞいつまでもお元気で、ますますがんばってくださいね。

一九九六年　冬

第二章　春　人生の種蒔《ま》き

あるときに神父様から「あなたにとって祈りとはなんですか」と訊ねられ、とっさに「私の場合は生活です」と答えました。

私は傍《はた》から見ていると、めったに座って祈らないといわれます。

でも、今ここに本当に食べられないでいる人、病んでいる人がいたときに、いくら手をあわせて祈っても、思いはその人にすぐには伝わりません。

手をあわせて祈るのは「静の祈り」、同じことを心に抱きながら、行動するのが「動の祈り」だと思います。

私は、この生きている瞬間瞬間が祈りだと思っています。

だから、お茶をいれて、おいしく一緒に飲みましょうというのも祈り。

私にとっては、生活すべてが祈りです。

人のために働く喜び

人は、自分が満たされて喜びを感じると、その次には、必ず他人のために何かをしようと、気持ちが変わってくるようです。人のために働くということは、私たちが生まれたときに、すでに与えられている天性だということを聞いたことがあります。本当にそうだと思います。誰かのために尽くすことによって与えられる心の底からの喜び、私はそれを〝霊的喜び〟と呼んでいるのですが、その霊的喜びを一度体験すると、生きていく上で、これ以上の感動はないと思っています。

私の日々の生活を見て、「何も仕事をしなくても、普通にしていれば、何の苦労もなく暮らしていけるのに、どうしてわざわざ忙しい思いをするんですか」とか、「何の楽しみもなく、ただ働くばかりで、こんな生活が何になりますか。それより、ご馳走を食べて、旅行でもして、もっと楽をしたらどうですか」と、案じておっしゃる人もあります。でも私は常日頃から、〝霊的な喜び〟を求めて生きていきたいと思っています。「森のイスキア」で奉仕をしてくださる人たちも、その霊的喜びを体験しているのだと感じます。

物的な喜びというのは、絶え間ない欲望の追求です。今この物を求めると次はそれ以上の物がほしくなります。例えば旅行なら、日本中は回ってしまったから、今度は外国だというように、一つの欲望を満たしても、そこで満足することができず、果てしがありません。それに対して、霊的な喜びとは、形もないし見返りもありません。でも、傍から見ればどんなに些細なことであっても、それは、その人にとって最大の喜びとなるのです。

足もとのことから動く

何か奉仕の仕事をしたいのだけれど何をしたらいいのかわからないとか、自分のやりたいことが見つからないという相談を受けることがよくあります。

何をしようかとか、自分は何がしたいのかと考える前に、今このとき、自分の目の前にあることに忠実に心をこめて動くことで、答えは自ずと出てきます。ただ考えているだけで何も動こうとしなければ、何も見えてはきません。動くこと、行動に移すことが何よりも大切なのです。

「あなたのところには、皆さんが次から次へと、相談に来たり頼みごとに来るけれども、私のところには誰も来ない。だから私には何もすることができない。どうしたらいいんでしょう」といってきた方もあります。

私は、奉仕というものは、まず自分の足もとのことから始めるものと思っています。道端にジュースの缶が落ちていたら歩いている人がつまずかないように拾うとか、自分のまわりの人たちに、いつも明るく温かい言葉をかけるように心がけるとか、そんな些細なことの積み重ねが、人の心に伝わります。

例えば、皆が使うトイレを掃除したり、気づいたときに廊下や玄関を掃くとか、お茶を飲んだ湯飲みをさっと洗うとか。そうした身近なことから動いていますと、それをさり気なく見ていたまわりの人は、この次はあの人にこの仕事をお願いしましょうという気持ちになります。その頼まれた仕事を気持ちよくこなしていくことで、この次もあの人にお願いしましょうということになって、動きの輪は次第に大きく広がっていくものです。

「私には何もできない」という人には、そのような「気づき」をしていないことが多いようです。毎日私のところに来ても、ただいれてもらったお茶を飲んでいるだけで、まわりの人のお茶碗が空になっても、新しいお客様がきても、座っているだけで自分から腰をあげようとしない、そんな人にかぎって、「私には誰も何も頼んでくれない」と不満をこぼしていたりするものです。

初女さんは教会の鐘の音に導かれてカソリックの世界に入りました。初めて鐘の音を聞いたのは五歳の頃です。おばあさんの家に遊びに行く度に、朝夕どこかから鐘の音が響いてきたのです。

教会の鐘の音に呼ばれて

思えば、まだ小学校にも上がっていなかった頃です。青森の祖母の家に二歳年上の従姉《いとこ》がいたのですが、その従姉には遊び相手がいなかったので、祖母はよく私を家に呼んで一緒に遊ばせ、泊まらせました。そこでは、朝六時、昼十二時、夜六時と、一日に三回鐘の音が聞こえてきました。

まだ幼かった私は、その鐘の音に、何かとても神秘的なものを感じていました。どこで誰が鳴らしているのでしょう。未知の世界から聞こえてくるような美しい響きに心を奪われ、私は、不思議な気持ちで天を仰いだものでした。

どこで鳴らしているのか、見たい、聞きたいという思いが募りまして、祖母に訊ねてみましたら、「耶蘇《やそ》で鳴っている」と教えてくれました。その教会は、今でも青森市内にある青森本町カソリック教会のことで、当時地元の人たちは「耶蘇」と呼んでいました。そこで従姉と二人で耶蘇へ行ってみようということになり、鐘の音を頼りに、耶蘇へ向かって歩き出しました。でも子どもの足のことです。その教会にたどりついたときにはもう鐘は鳴りやんでいて、あたりはシーンと静まりかえっていました。町も静寂に包まれていました。

私たちは、しばらく教会の門の前に立って、誰か中から呼んでくれないかしらと思い、しばらく待っていました。

その建物はちょっと異国風で、煉瓦《れんが》の塀があり、中にはきれいな花壇がありました。その花壇には黄色と赤の花が咲いていて、子どもの目には、お話の中に出てくる天国のように見えました。

それからも度々、私は教会の前にたたずんでいたのですが、とうとう誰も呼んでくれる人はいませんでした。小さな心は、鐘の音の向こう側にある神秘をずっと求め続けていたのですが、そこにたどりつくまでの道は遠いものでした。

初女さんの生涯に、大きな影響を与えたのは、聖女テレジアとの出会いでした。

テレジアは一八七三年、フランス・ノルマンディーの小さな町に、九人きょうだいの末っ子として生まれました。十五歳でカルメル修道会に入会した後は、ただ神を喜ばせることを自らの喜びにし、二十四歳で短い生涯を閉じます。何ら人目を引くような業績はのこさなかったように見えましたが、その篤《あつ》い信仰心ゆえに、テレジアは後に聖女としてたたえられるようになりました。

小さき花のテレジア

前にもお話ししましたが、父が事業で失敗した後、私たち一家は函館に移り住み、私は函館山の麓《ふもと》にある女学校に入学しました。十三歳の頃のことです。

まわりには教会がたくさんありまして、学校で朝礼をしているときなど、教会の鐘が一斉に鳴り響きます。そこで再び、幼かった頃の、鐘の音に神秘を求める心が呼び起こされました。

学校の帰りに友人を誘って教会の前まで何度も足を運んだのですが、函館でもついに、教会の中に入ることはできませんでした。

女学校三年生のとき、私は胸を患いました。故郷に帰れば病も治るにちがいないという祖母の強い希望で、私は函館の女学校を退学して、青森で静養することになりました。青森に帰ってきましたら、ちょうど近所に現在の明の星高校の前身である青森技芸学院を創設するための工事が進んでいました。学校の母体になっていたのは、聖母被昇天会という修道会で、シスターたちが創設準備のために工事中の学校に毎日通っているのを見て、この学校に入れば教会にも行けるようになるのではと、私は両親に入学させてもらえるようお願いしました。その願いがかなって、第一回生として入学することができたのです。

青森に戻ってからも、喀血が止まったわけではありませんでした。卒業間近の頃は、具合が悪くてもどうしても学校を休めず、学校に行く途中で血を吐いたこともありました。電信柱につかまって少し落ちつくと、次の電信柱までそろりそろりと歩いていって、ようやく学校にたどりつくというありさまでした。学校へたどりついても、そのままでは授業を受けることもできず、静養室で寝ていることもしばしばでした。

ある日のことです。看護婦さんのシスターが休んでいた私の枕元に一冊の本をそっと置いていきました。

それは『小さき花のテレジア』という本でした。今思えば、それが私にとっては一番最初の、神様との出会いだったのです。

若き修道女のテレジアは、病に蝕《むしば》まれ、咳き込み、血を吐きながらも、そのすべての努力を、神様への祈りと隣人への愛に注ぎ込んでいきました。テレジアの信仰生活の根底には、神様の愛への無条件の信頼が流れていました。

そのとき私は十七歳、ちょうどテレジアと同じくらいの年齢でした。そんなこともあって、私は、どんな困難にあっても一心に祈り続けたテレジアの生涯に大変感動し、自分がいつかクリスチャンになれるときがきたら、テレジアの霊名をいただきたいと、心に秘めておりました。

その頃は戦争中でしたので、学校では宗教の話は一切できませんでしたし、もちろん教会に行くこともできません。シスターとも授業の話以外で言葉を交わすことはできませんでした。それでも、私は自分から信仰の世界を求めて学校に入ったのですから、何としてでも祈りの勉強を続けたいという思いでいっぱいでした。

放課後になると、修道院の前に行き、誰か見ていないかあたりを見渡して、誰もいなければ修道院の裏口からさっと中に入り、お祈りのことを勉強していました。修道院に行くことは両親からも反対されていましたので、家にいるときは、何か用はないですかとお使いを申し出て、素早く用事を済ませたら、その合間に急いで修道院に寄って、隠れて勉強をしていました。

小さき花

学校を卒業したらすぐにでも洗礼を受けたかったのですが、まだ戦争は終わらず、シスターも拘留されたりしていましたので、すぐ受洗というわけにはいきませんでした。ですが、私の心の中では、どんな苦しい中にあっても神様への愛を見失うことのなかったテレジアが、信仰へのともしびを燃やし続けてくれていたのです。

女学校を卒業した初女さんは、病を抱えたまま小学校の教員となりました。そこで後に夫となる校長の佐藤又一氏と出会います。

小学校の教諭へ、そして夫との出会い

小学校の教諭となった私は、一年生の受け持ちとなりました。働くようになってからも、私は病気で度々学校を休むものですから、佐藤校長は、どのぐらいの期間休むのか、症状はどうなのかといったことを確認する必要があり、しばしばお見舞いに来てくれました。そんなことで、二人が話をする機会も多かったように思います。

校長は、短歌が好きで、万葉集や自作の短歌に自分の思いを託した手紙をよくくれました。また、短歌を書くために書道を習いに行ったりもしていました。

佐藤校長の教育方針は当時としてはかなり個性的でした。例えば、民謡こそ大事だと、民謡を五線譜にして先生方に配ったり、町内の子どもを集めてラジオ体操をしたり、戦争で修学旅行ができないときでも、青森から下湯温泉まで歩いて修学旅行をしたりと、その行動が理解されずに非難を受けることもしばしばありましたが、自分がよいと信じるものであれば、進んで教育の中に取り入れていました。

また、佐藤校長は日頃から生徒に漢字を書かせることに熱心でした。漢字を正確に書かせることで、学力の基本が身につき、それが本人の自信につながっていくと考えてのことでした。

生《せい》あるものは必ず育つ、劣等生をつくるのは教師の責任だ、というのが日頃の口癖でもありました。

前妻を病で失った佐藤又一氏は、初女さんに結婚を申し込みます。昭和十九年、初女さん二十四歳、佐藤氏五十歳のときのことでした。二十六歳も年齢の違う二人の結婚は、周囲では大変話題になりました。

結婚の決意と両親の説得

佐藤校長と私とは、年齢が親子ほども違いましたから、両親が結婚を猛反対するのも当然のことでした。私は、

〈この結婚を決して不幸なものにはしません。結婚してよかったと誰からも思ってもらえる日が来るように努めてまいります。必ずその日が来ますから〉

という自分の決意と覚悟を長い手紙にしたためて、両親に送りました。

当時、私は病弱で、縁談も進まず、誰の役にも立てないのではないかと悩んでいました。しかし、佐藤校長はそんな私に結婚を申し込んでくれました。私は、こんな病弱な自分でも、母親を亡くした子どもたちの慰めになるのであればと思い、結婚を承諾したのです。

夫と。昭和30年頃、弘前高校の土手で

佐藤校長も、私の親や親戚に理解してもらえるよう努力をしました。また校長の親友たちは、

「年齢だけ釣り合いがとれても、それでよいというものではありません。いくらちょうどよい年齢の人と結婚しても、それが意地悪な人だったら、幸せに暮らすことはできません」

といって、私たちの結婚の力になってくれました。

両親は依然として大変強く反対をしていましたが、私は反対されたからといって親と縁を切るような気持ちはまったくありませんでした。今は理解されなくても、私たちの気持ちをわかってもらえる機会は必ず来ると思っていました。そのかいあってか、まず父が、

「お前が幸せになるのだったらいいよ」

ときっぱりと結婚を認めてくれたのです。

昭和十九年五月、灯火管制のもと、私たちは佐藤校長の自宅の二階で結婚式を挙げました。

父は、最後まで反対していた母に、

「許さざるを許し、耐えがたきを耐えて、娘の結婚を認めてやるのが母親としての務めではないか」

といって諭しました。父のこの言葉を私は今でも忘れることができません。

式が終わった後、涙があふれてきて、私は声をあげて泣きました。

子どもたちの理解

私たちの結婚は、夫と前妻との間の三人の子どもたちの承諾抜きにはありえませんでした。親子の間を不和にしてまでの結婚は、私の望むことではありません。

当時、長男有信は二十四歳で私と同い年、長女貞子は二十一歳、次男進は十八歳でした。夫の前妻は生前、胸の病気を患って、自宅で療養していました。奥さんが倒れてからは、私はしばしばお見舞いに行っていました。その頃、胸の病気というのは伝染するといって大変嫌われ、お見舞いに行った人は、誰もそばに寄るのをためらっていたようです。私は、自分も胸を患ってよく寝込んでいましたから、病人の気持ちがよくわかりました。ですから、よさそうな食べ物や、役に立ちそうなものを持っていったり、また、病人の近くまで寄って、話をしたりもしていました。

奥さんは、それを大変喜んで、子どもたちとは私のことでよく話をしていたそうです。後になって聞いたことですが、良いところがあれば、結婚のお世話をしたいともいっていたそうです。

それで、子どもたちには、私に対する印象が強く残っていたのでしょう。長女と次男は私たち二人の結婚を快く承諾してくれました。また、長男の有信は、入隊していて、当時家にはいなかったのですが、外地への出征が決まって、一度家に挨拶《あいさつ》に戻ってきました。その夜、夫は私を呼んで、長男に、私と結婚するつもりだということを話しました。すると長男は、

「親父をよろしく頼みます」

といってくれました。私もそれを聞いて、ほっとしました。

その後、長男はマニラで戦死し、その夜が最後の別れになってしまいました。

忘れられない生涯の恩人たち

私たちの結婚では、特に忘れられない二人の恩人がいます。二人とも夫の親友で、一人は小原流のお花の師匠だった竹波一昌先生、もう一人は弘南バスの二代目社長の古川政孝さんです。

私たちの結婚は両親に反対されていましたから、竹波先生は母親代わりになって、いろいろと面倒を見てくださいました。私は式のための着物も持っていなかったのですが、先生は、ご自分のお嬢さんの新しい江戸褄《えどづま》を私に着せてくれました。

竹波先生も実は二十歳のときに、二人の子どものいる医者のところに後添えで入った方でした。ご自分でも子どもを四人産んだのですが、その後ご主人がまだ若くして癌《がん》で亡くなり、六人の子どもを抱えて、これからどう生きたらいいか悩まれたそうです。

そのとき先生は、ご主人の生前に、東京で生け花の展覧会をみて、とても感動したことを思い出しました。そこで先生はお花で身を立てようと決心し、小原流の家元のところに通って、お花を修得しました。その後、先生は青森での小原流の普及に努め、大変な功績を残されました。

先生はご自身の経験から、

「あなたと年齢のあまり違わない子どもたちなのだから、親として何かをしてあげなければならないと思わないで、兄弟姉妹のような気持ちで接していればいいんですよ」

と、アドバイスをしてくれました。また夫に対しても、後添えに入る女性の気持ちを率直に話してくれるなど、いろいろな面で、私たちの支えになってくれました。

弘南バスの古川さんは、私たちの結婚に理解を示して、大変喜んでくれました。結婚式の当日には、お抱えのコックさんに、食糧のいっぱい詰まったリュックをしょわせて、出席してくださいました。名コックは味見を六十回すると教えてくれたのも、この古川さんです。

結婚してまもない昭和二十年、青森市内は空襲で焼け野原となってしまいました。古川さんはとりあえず一カ月の間、弘南バスから青森市に、バスを三台援助しました。

そのバスが弘前に戻るというときに、

「青森に残っていてもすぐには家も建て直せないだろうから、弘前に移ってきたらどうか」

と私たちを誘ってくれました。そこで私たちは古川さんの厚意をお受けして、バス三台に焼け出された荷物を全部積み込み、私たち家族も乗って、弘前に移ってきました。古川さんは自分の住んでいた家を私たちのために明け渡してくれました。その家には、その後八年間住まわせていただきました。

古川さんは亡くなるまで、何かにつけて、私たちのために心を尽くしてくださいました。

弘前での新生活

結婚を機に私と夫は小学校を退職し、主人は兼任していた青年学校も辞めました。私たちが勤めていた小学校は昭和二十年の空襲で焼け落ちました。弘前に引き揚げてきてからは、古川さんのたっての望みで、夫は弘南バスの総務部長として迎えられました。

昭和二十一年二月、終戦を迎えて半年あまり、函館にいた父が他界しました。

私の家族に対して、夫も私も、自分たちのことで心配をかけた償いはしなければならないと、強く思っていました。ですから、戦争中、食糧が足りなくなったときなどは、夫の人脈で手に入れた食糧を函館の家族に送ったりもしていました。

父を失い、長男の泰麿は出征中、残された母と幼い六人の弟妹のためには、私たちが力にならなくてはと、夫と二人でできるかぎりの力を尽くしました。何もない時代でしたが、父の葬式を出すこともできました。

当時、青森と函館の連絡船は途絶えていました。残された母子が親戚も誰もいない函館にこのまま住み続けるより、私たち夫婦のいる弘前に移ってきてはどうかということになりました。神家の菩提寺も、弘前にありました。

三番目の弟の三男《みつお》は小学校の六年生で、学校の切り替わりの時期でしたので、三月の卒業後、家族より一足先に弘前に来て、四月に、弘前の旧制中学に入学しました。

すると、その直後、長男の泰麿が海軍から復員してきました。そこで家族は、弘前

への移住を取りやめて、住み慣れた函館に残ることになりました。三男のことも相談し、本人の希望を訊ねますと、三男は、

「中学に入学したばかりなので、このまま学校に通わせてほしい」

という返事でしたので、三男は私たちと弘前で暮らすことになりました。

いのちをかけた出産

私が子どもを身ごもったのは、それからまもなくの頃です。医者からは「産むことは、母子ともに命を落としかねないほど危険だから、やめなさい」という診断を受けました。私はそれを素直に聞き入れることはできませんでした。自分の体の中から、「大丈夫だよ」という声が聞こえたからです。それで、その後四人の医者を回ったのですが、診断は同じでした。どの医者も出産は諦めるようにというのです。

私は悩んだ挙げ句、母校の明の星高校のもとを訪ねました。しかし知り合いのシスターは戦争中に母国に強制送還されたまま、まだ戻っていませんでした。そこで当時の校長をされていた、聖ゲオルギオのフランシスコ会の牧野志をり先生に自分の胸の

内を打ち明けましたところ、

「それは神様のくださったお恵みだから、どうぞ続けてください」

とおっしゃってくださいました。

その校長先生とは以前に面識があったわけではありませんでした。学校の外国人のシスターが全員拘留され、学校の存続が危ぶまれたとき、その校長は札幌の藤学園から四人のシスターを連れて明の星に来て、学校を守っていたのでした。

その四人のシスターからも、

「私たちも祈りますから、あなたも一所懸命祈って産んでください。私たちもこの学校を守っていくのは大変な役目ですが、神様のお望みだと思って努めています。どうぞ、一緒に頑張りましょう」

と励まされ、その言葉を心の支えとして、三カ月入院しながらも、男児、芳信を無事に産むことができました。

子どもを背負ったり抱いたりすればまた喀血しますから、十分な子育てができず、大変辛い思いもしました。ですが、上の二人の子どもたちや、弟の三男は、家の仕事を手伝ってくれたり、母親の代わりに幼い子どもの面倒をみてくれたりして、私にとっては大変心強い存在でした。二人の子どもが独立し、三男も結婚して所帯を構えるまで、三人には、言葉では尽くせないほど世話になり、今でも感謝しています。

受洗の恵みに与る

明の星高校に入学以来、私はもうずっと長い間、正式にカソリックの洗礼を受けたいと思っていました。ですが、戦争中にそんな願いがかなうはずもありません。また、戦後も、父の死、出産などが続き、熱心な仏教徒の家庭に育った夫に受洗をしたいとは言い出しかねていました。

芳信が小学校にあがってまもない頃、昭和二十九年の秋のことです。夫はお酒が好きな人で、その夜もお酒を飲んで、十二時頃に帰宅をしました。すると、玄関に錠がかかっていたのです。その前に帰ってきていた上の息子が、自分が最後だと思って錠をかけてしまっていたのです。

夫が「ただいま、ただいま」といって戸をどんどん叩《たた》くものですから、一番奥の部屋で寝ていた私は目が覚め、「はあい」と返事をしました。しかし、そのときも、喀血していて、声を出すのもやっとの状態でしたから、私の声が聞こえるわけもありません。

気づいた息子が即座に鍵を開けたのですが、夫はお酒の勢いもあったのでしょう。大変怒って私をひどく叩いたのです。しかし私は何ひとつ抵抗をしませんでした。「主人は誤解をしています。どうぞ、神様見ていてください」と祈っていました。

ほかの子どもたちも起きてきて、見ていられず制してくれたのですが、夫はそのことでさらに怒って、私に「今すぐ出ていけ」と大声を上げました。出ていけといわれても、私には出る気持ちもありませんし、反発する気持ちもありません。

まだ幼い息子の芳信は心配して、

「母さん、どこへ行くんだ、どこへ行くんだ」

としがみついてきたので、

「母さんはどこへも行かないよ。安心しなさい」

と子どもに不安を与えないようにいいました。主人もひどく酔っていましたから、その場はそれでおさまりました。

翌朝、私が何も言わなくても、夫が大きな反省をしているのはわかりました。夫にしてみれば、どんなに悔いても取り返しがつかない悪夢のようなものです。ですから、私も夫を責めることはしませんでした。

それから二、三日たったとき、私はふと、受洗のことを話してみようと思い立ちました。私が、

「洗礼を受けさせていただきたい」

といいましたら、夫は、

「ああ、どうぞ」

と、すぐに認めてくれました。それで受洗の恵みに与《あずか》ることを許されたのです。夫が私を叩いたのは、後にも先にもこの一度だけでした。

何かを信じることのできる幸せ

私の受洗のときには、夫も教会についてきました。霊名は、女学校時代から片時も

忘れることのなかった「小さき花のテレジア」です。

自分の心の中だけで密かに願い続けてきた信仰の道に、今、入ろうとしているのです。長い求道の思いがようやく認められて、神の子になることができる感激と感謝で、胸がいっぱいでした。

「もうこれからは、どんな試練も苦労も厭いません。すべてを神様の恵みと思って、受けてまいります」

と決心し、受洗の恵みに与りました。

それからというもの、日曜日になれば、「今日は教会に行く日ではないのか」と夫の方から気にかけてくれ、教会に行かせてもらえるようになりました。

夫にも信仰を許してもらったのだから、日々の暮らしを、常に、信仰に真実に生きたいという思いはますます強くなりました。

夫は六十歳の定年まで弘南バスに勤めました。ちょうど定年の頃、文部省の管轄で新しい教育長制度ができました。教育長となって校長の経験を生かしたいと思った夫は、大学でそのための講義を聴講して、資格を取得しました。そして、弘前市堀越《ほりこし》の教育長に任命されたのです。

夫の生家は、浄土真宗の特に熱心な信徒で、念仏を子守歌がわりに聞いて育ったそうです。それにもかかわらず、夫は晩年のある日、

「何かを信じられるということは、幸せなことだね。自分はいまだに何も信じられないでいる」

と、もらしたことがあります。共に暮らした三十年の間、私の信仰の姿が夫の心にうつっていたのでしょうか。夫のそのような言葉の中には、すでに信仰が宿っていたのだと、私は思います。

死の床での夫の受洗

夫は七十九歳のとき、病に倒れました。亡くなる一週間前、夫は入院しているベッドの上で、受洗の恵みに与りました。

夫が入院してからは、毎日のように、教会の神父様やシスターがお見舞いにきてくれました。というのは、同じ病院に聖母被昇天修道会のシスターとトラピスト修道院

の神父様が入院していて、御聖体訪問のためにお二人を見舞うときに、夫のところにも必ず寄ってくださっていたのです。それまで病気をしたことがなかった夫は、手厚い看護を受けて、初めて看病とはこういうものだったのかと悟ったようでした。神父様やシスターからかわるがわるお見舞いを受け、夫は、

「お前のお陰で、自分もこうしてお見舞いを受けることができる。病が治ったら、この感謝を何で表したらいいだろう」

といいます。私は、

「何もいりませんから、よくなったら、私を十分に働かせてください」

と答えたのです。しかし夫は、

「それだけでは済まない。自分としてはどうしたらいいだろう」

としみじみともらしていました。

そんなある日、毎日夫を見舞ってくださっていた私の所属教会の神父様が、

「お父さん、受洗を望みますか」

と夫に訊ねました。神父様は私には何も相談なさらなかったのですが、受洗の準備

をしてこられていたのです。

　夫は「はい」と答えました。あと一週間もつかもたないかというときでしたから、私は、夫が神父様の言葉を理解しているのだろうかと案じながら、側にいました。夫は、神父様が次々と訊ねる洗礼の約束に、すべて「はい」と答え受洗の恵みに与りました。

　神父様の言葉は果たして聞こえていたのか、理解していたのか、受洗が終わった後も、私は半信半疑でした。三日ほどたって、いよいよ夫の体の状態が悪くなったときのことです。私はもうこれで最後だと感じ、シスターがお見舞いに置いていった「心の貧しき人は幸いである」と書かれた色紙を見せなくてはと思って、色紙を夫の枕元に掲げました。

　視力も薄れた目でその色紙をじっと見ていた夫は、自分も何か書きたいと言います。そんなときのためにと思って、力の弱った病人にも書きやすいフェルトペンを準備してありました。

　私は、用意してあった包装紙を大きく広げ、夫の胸元に差し出しました。しばらく深く考えて、言葉がまとまったのでしょう。さて書こうとしたのですが、手が震えて自分では書けません。そこで私に代筆してほしいと頼みました。

〈お祈りの光集まり　わが身をつつみ　わが身よみがえらん〉

私が、書き終わって見せますと、それでいいというふうにうなずきました。さらに、

「これで御ミサの意味がでているか」

と私に訊ねました。

「よくわかりますよ」

と答えると満足したように安らかな表情を見せました。

「最後の一息まで生きんとして生きる」という信念の人だった夫は、まさに最後まで生きようとし、死んでもなお新しい命に生きることを私たちに示してくれました。

死を間近にした受洗だったので、果たして受洗の意味を理解していたのかどうか、不安だったのですが、私に代筆させたこの言葉で、私は夫がすべてをわかっていたのだということを了解しました。私は夫の最後のその言葉で、すべてを希望につなげてゆくことができました。そして私と共に歩んだ三十年の生活の中で、夫は信仰という

ものを感じ、受けとめていたのだと確信し、「神様、ありがとう」と感謝の気持ちがこみあげてきました。

いよいよ夫の臨終のときです。あまりの苦しみように、そばにいた誰かが楽にしてあげましょうと看護婦さんのところに走りかけたのですが、夫は「いやだ」というように静かに頭を動かしました。薬で苦しみを和らげ、意識を失ったままで死んでいくよりも、神様から与えられた命を最後の最後まで自分の力で生きてほしいというのが私の気持ちでした。その思いは夫にも通じていたのでしょう。

「本当に献身的な治療をしていただきまして、ありがとうございました。でも私の病気はどうすることもできません。お世話になりました」

と、主治医の先生にはっきりした口調で挨拶をし、夫が息をひきとったのは、それからまもなくのことでした。

桜ノートの思い出

桜の季節になりますと、今でも夫のことが偲《しの》ばれます。夫は常に夢を持っている人でした。弘前に移ってきてからはじめた桜の研究も、夫の夢の一つでした。今も私の手元に残る「桜ノート」には、夫の研究の記録が細かく綴《つづ》られています。観察をはじめて二十年目の年には、論文も発表しました。

〈――どこの桜の木を見ても、枝が上の方へのびて、一本の木全体の格好はちょうど箒《ほうき》をさかさに立てたようになっている。それが普通である。しかるに、弘前公園の桜は、枝ぶりが下の方へ下の方へとのびて、自らの幹も、根本も隠して、濠水の上に咲くのである。

満開の時、杉の大橋付近から眺めると、正に裳裾《もすそ》を長くなびかせた天人の羽衣である。花の羽衣、なんと美しい、そしてやさしい名であろう。この名称のあてはまる所は、世界中ここ以外にあるだろうか〉（発表論文の一節より）

この論文があるところで賞をいただいたものですから、市の方々も桜のことで夫のもとに相談に来るようになりました。弘前公園には六千本もの桜の木があります。満開の時期、遠方には雪を抱いた岩木山がそびえ、掘割の水面にも桜が映って、その眺めは大変見事なものです。この時期には日本全国から観光客が桜を見に弘前を訪れます。せっかく来られても、まだ花が咲いていなかったり、また、もう散っていたりしましたら、お客様はがっかりして帰ることになります。ですから、弘前市の関係者にとっては、開花の予想はとても大事なことなので、その助言を得るために夫のもとを訪れるのです。

桜観察ノートよりその一部を紹介いたします。

〈四月二十一日快晴　暖かし。二十四度　花一時に咲く。四月十三日の所見の前にこのことを記す。自分の考えが当たっていた。公園全体六分から満開。イコール八分。午前九時半の所見では五、六分〉

〈四月二十二日　暖かし。二十七度九分　午前六時の所見　八分以上。今日中に満開となる。二十五日は昼から散り出すだろう〉

〈散りそめし　花の小波押し分けて　白鳥遊ぶ　朝の公園〉

〈散り果てて　みどころもなし桜花　夢の残骸　醜く見せて〉

人は人で磨かれる

夫は、毎日、朝早く起きて、あちらこちらに定めた観察場所へと出かけていきました。大学ノートに事細かに、桜の花の様子を記録し、関連した新聞記事を張り、その内容にコメントをしたり、合間に短歌を詠んだり、食事のときなどは桜の話で持ちきりでした。そして開花の季節になると、一日に何度も同じ観察場所を訪れるのです。後に、弘前の桜祭りの日程を決める際には、この夫の桜ノートが大いにお役に立ったと聞いています。

昭和三十一年のことでした。夫は弘前に桜の唄を残したいといって、「弘前さくら音頭」を自ら作詞作曲しました。夫は尺八の師範でしたからそういうこともできたのです。退職金を全部使い果たして、その唄の発表会を開いたときには、

「何もそこまでしてお金を使わなくてもいいのに」

と、私にはとてもそのことが理解できませんでした。

大学の講堂を借り、ピアノとバイオリンで洋楽式に演奏をしてみたり、琴と尺八を

合わせて邦楽的にも演奏してみたり、舞踊までついて、発表会は大変盛大なものでした。夫は、

「この唄は、必ずみんなに理解され、親しまれるようになる。私はお前にお金は残せないが、代わりにこの唄を残していく」

といっていました。

夫には大変わがままなところもありましたので、私も腹を立てたり、「いつもいつも夢ばかりみて」と不平をこぼすようなこともしばしばでした。今になってはじめて、

「あのとき話していたのはこういうことだったのか」

と、夫の本当の気持ちに気づくことばかりです。

夫はいつも「自分がしていることは、きっと社会の役に立つはずだ」という信念を持っていました。私の受洗を認めてくれたことも、また、私が教会や母校の同窓会などで度々家を空けるのを認めてくれたことも、「社会のためによかれ」と思ってのことでした。夫から教えられた「鉄は鉄で磨かれ、人は人で磨かれる」という言葉を、私は今でも大切にしております。

咲いた咲いたよ桜が咲いた
古い城あと　花ざかり
松のみどりに色よく映えて
さくら桜の花がすみ
めぐる濠水花かげ宿し
ゆれて色ます　花模様
春の女神も姿をよせて
花の羽衣　花の舞

宴のむしろ本丸うめて
かほるそよ風　花吹雪
岩木お山の姿も清く
花にそびえて　花衣裳
西濠あたりみごとに咲いて
花のトンネル　花の門

（弘前さくら音頭　佐藤又一作詞作曲
昭和三十一年陽春）

龍村仁監督と

初女さんへの手紙

日常の中の聖なる営み

龍村　仁（映画監督）

初女先生、イスキアのふきのとうはもうすぐ食べ頃でしょうか？　初めてイスキアをお訪ねしてから、早くも三年が過ぎました。

『地球交響曲　第二番』の上映が始まって以来、本当に大勢の方からこんなことを訊ねられました。

「ジャック・マイヨール、ダライ・ラマ、フランク・ドレイクはそれぞれ世界的に有名な人だからわかるんだけど、初女さんだけはいわば無名の人でしょう。よくあのような方に出会えましたね！」

この、質問とも感嘆ともつかぬ言葉を私に投げかけてくる人々のほとんどは、第二番の骨格がダライ・ラマでもジャック・マイヨールでもなく、まさに初女先生の存在によって形づくられていることをハッキリと読みとっているのです。実際、三年前の三月、初めて先生にお会いしたその日に、私は、

「これで第二番ができた」

と確信を持ったのです。冬・春・夏・秋という四季の移ろいの中に、他の三人の出演者をちりばめる、というアイディアもその日に生まれました。第二番は初女先生との出会いによって生まれたのだ、といっても過言ではないのです。

それにしても本当に〝電撃的〟な出会いでしたね。初めて先生の存在を知ってからわずか三日目に弘前まで会いに行き、それから一週間目に撮影を始めていたのですから。

初めてお会いした時、私はまだ「森のイスキア」の存在を知らなかったし、まして〝鐘〟のエピソードなど全く知らなかった。今ではこの話をしてもほとんど誰も信じません。自然に撮影させていただいた内容の一つ一つが感動的で、それほど先生の存在は第二番そのものだったのです。誰が選んだの？　というなら、結局〝神様〟が選んだ、としか言いようがない。ただ、出会いは確かに〝電撃的〟だったけれども、私にとっては長い長い道程だったと言うこともできます。一九九二年に第一番を完成し、九四年に第二番のジャック・マイヨール、ダライ・ラマと撮り進む中で、私には日々こんな想いが強まっていました。

「この世の最も聖なる営みは、実は最も俗なる営みの中にこそあるはずだ」

もちろん私は、第一番の出演者も第二番の出演者もみな、二十世紀末のこの地球に私達ひとりひとりと同じ肉体を持ち、悩みや苦しみを持ちながら生きている、ごく〝普通の人〟であるという信念の下で撮り続けてきました。

平凡な自分とは全く違う〝特別の人〟だと思って見てきた人が、実は自分と全く変わらない〝普通の人〟でもあると知った時、人々は映画を通して大きな勇気を与えられる。これが私の『地球交響曲』を作ってきた基本姿勢だったのです。

とはいえ、この出演者達は同時に、私達の日常生活からは想像するのも困難な偉業を成し遂げた人、体験をした人でもあります。

これは、映画というメディアにとって、日常性から離れた見知らぬ世界を垣間みる好奇心というものが、一つの大きな要素だからです。

だから結果として出演者のほとんどが一見〝特別に見える人〟になりました。

しかし、この病める母・地球を真の意味で癒すことができるのは、実は〝特別な人〟や〝有名な人〟ではなく、私達ひとりひとりの、ごく普通の日常生活の中でのほんのチョットした気づきや行動の集積なのです。

その意味で私は、私達のごく普通の日常生活の中で、すなわち俗なる営みの中で、『地球交響曲』が撮れないだろうか、と思い続けてきました。しかし、例えば〝食べる〟という営みは、本来生きてゆく上で最も〝聖なる営み〟であるはずなのに、同時に誰でもが毎日ごくあたり前に行っている全く〝俗なる営み〟でもあるがゆえに、映画にするのはとても困難だ、と思っていました。

それが初女先生と出会った瞬間、このことが〃映画〃にできるのだ、と確信したのです。初女先生の日常生活は、ある意味で全てが〃映画〃になるのです。〃映画〃になる、という意味は、その日常生活の奥に秘められているいのちへの深い愛や叡智《えいち》を、誰でもがわかる姿で示してくださる、ということです。

別の言い方をするなら、私達が自分自身の中に本来持っているいのちへの想像力を次々と喚起してくださる、という意味です。

実際、撮影を始めてからは、ほとんどなんの特別なお願いやしかけをする必要もありませんでした。「森のイスキア」に泊めていただく私達撮影隊のために初女先生がなさってくださる全ての日常的な営みが〃映画〃になるのです。

例えば、映画のファーストシーンで、先生がイスキアの裏の雪の中からふきのとうを掘り出されるシーンがあります。このシーンだって、その日の夜の私達の食事に、ふきのとうの味噌和えをつくってくださるために始まったシーンでした。

「じゃあ雪もきれいだから、その様子も撮っておきましょうか」

ということで、ごく気楽に始めたのです。ところが、その初女先生のふきのとうの採り方を見ていて、私は胸が熱くなるほどの感激を覚えました。スコップか何かを使ってサッと採られるのだろうと思って見ていると、なんと先生は、小さな枯れ枝を使って、シャカシャカとさわやかな音を響かせながら、まだ雪の下にあるふきのとうのまわりの雪をやさしく取り除き始めたのです。「なんと〝めんどくさい〟採り方をされるのだろうか」、そう思った瞬間、私は、先生がつくられた梅干し入りのおむすび一個が、なぜ自殺まで決意している人の心を癒し、生き続ける希望や勇気を与えるのか、の理由がわかったような気がしたのです。

それはこういうことです。

先生は、このふきのとうを今晩のおかずのための単なる食材（モノ）とは決して思っておられない。先生は、このふきのとうを、自分と全く変わらないいのちを持った存在であると、あるいは自らのいのちを、食べる私達のために与えてくださる貴い〝神からの贈り物〟とさえ思っておられる。ふきのとうがいのちであるかぎり、ふきのとうにも必ず〝心〟がある。そのふきのとうの〝心〟になって考えてみると、初女先生の〝めんどくさい〟採り方の意味がよくわかってくるのです。このふきのとうは、半年もの長い間、三メートル近い雪の下でその重さと寒さに耐えながら、春の訪れを待っていました。そして春が近づいて、頭上の雪が少しずつ解け始め、暖かそうな初春の陽射しが、まだ頭上に残っている雪を通して、キラキラと自分の上に降り注いできます。

「ヨシッ！　もうすぐ春だ。これからボクはウンと大きくなろう」

そう思ったふきのとうは、喜びと共に全身にいのちの力をみなぎらせ始めます。

もしその時突然、無骨で恐ろしげなスコップが頭上から降り下ろされてきたらどうでしよう。ふきのとうは、恐怖のために一瞬に身を縮め、

「さあこれから大きく元気に育とう」

と思っていた〝喜びの心〟は一気にどこかへ吹き飛んでしまいます。ところが初女先生のように小さな枯れ枝でやさしくまわりの雪を取り除いてくれる人がいたらどうでしょう。

ふきのとうは、

「あれあれ、雪が解けるまでもう少しがまんしてなきゃあいけない、と思ってたのに、陽射しがどんどん強まってくるぞ。ヨシッ、それならボクはもっと早く大きくなろう」

とますます生命力（喜びのエネルギー）を活性化させてゆくでしょう。

シャカシャカという音だって、ふきのとうにとっては、生命を祝福する美しい音楽に聴こえてくるでしょう。初女先生は、こうしてやさしく、ゆっくりと雪を取り除き、最後の最後にソッと根本に刃物を入れて、ふきのとうは土から離されます。もうその頃になると、ふきのとうは安心しきって、「大きくなろう」とする喜びのエネルギーをいっぱい抱えたまま、初女先生の豊かな手の中に身を委ねているのです。初女先生はこのふきのとうをお

料理する時も、全く同じ態度です。

だから、ふきのとうに宿っていた喜びのエネルギー、すなわち見えない生命力（心）は、表面の姿形こそ多少変わっても、そのままに活き続け「オイシイ！」という感動と共に私達の体に入り、今度は私達自身の生命力を活性化してくれるのです。これがもし、ふきのとうを単なる食材（モノ）と考え、めんどくさいからといって、大きなスコップで一気にバサッと掘り出していたらどうでしょう。蛋白質何グラムとか炭水化物何グラムとか、数字に出る栄養価だけならあまり変わらないかもしれません。しかし、「大きくなろう」と思ったふきのとうの喜びの〝心〟はもうそこにはありません。

この〝心〟の存在、すなわち〝見えない生命エネルギー〟の存在を単なる妄想だと思うか、最も大切なものだと思うかによって、何かが決定的に違ってくるのです。

映画の中で先生は私の質問にこう答えてくださいました。

「元の生命が残っているというか、お料理することによってまた新しく活かすんです」

さりげなく話されるこの言葉の中にはすごい意味が含まれています。全ての生命は、他の生命を分かち与えられることによって生きている。これは野生動物でも人間でも変わりない。ただ野生動物は、他の生命をそのままストレートにいただきます（料理をしない）。だから他の生命の〝心〟をそのまま自分の生命に移し変える。ところが人間だけが料理をする。より〝オイシク〟食べたいと思う人間独特の心によって生命の形を変えるのです。これは人間だけに与えられた素晴らしい能力です。

しかし、この能力は同時にとても危険な能力です。料理をする、というプロセスの中で人間はいつの間にか他の生命を、単に自分の欲望を満たすための食材＝モノと考えるようになってしまうのです。他の生命に対する想像力を失い、自分を生かしてくれている他の生命への感謝の気持ちを失ってゆくのです。だったら野生動物のように生のままで食べればいいのか、というと、そうではない。より〝オイシク〟食べるために料理をする、という人間独特の能力には、実は素晴らしい意味があるはずなのです。〝神〟が初めから〝悪〟である能力を人間に与えているはずはない。悪にも善にもなり得る能力を人間に与え、それを〝悪〟にするか〝善〟にするかの選択を人間の心に委ねて試されているのだ、と言ってもよいのです。

「元の生命を新しく活かしてゆくのです」

とおっしゃった先生の言葉の中に、その意味が込められていると私は思いました。

だから先生はあんなに〝めんどくさい〟ふきのとうの採り方をなさるのです。そして、そのお姿は本当に〝美しい〟。先生の日常生活の全ての中に、この美しさと気品がありま す。人間として生まれたがゆえに、誰でもが持っているはずの、俗なるがゆえに聖なる姿です。私はこの気づきを、映画を通して、全ての人々と分かち合いたいと思いました。

一昔前は、こんな〝気づき〟が日常生活のあちこちにありました。それが時代の変化と共にとても見えにくくなってきています。だからと言って私は、それが〝ダメ〟なことだとは思っていません。私達自身が生命なのだから、この〝気づき〟がなくなるはずはない。ただ自分のお母さんやお婆さんから、直接その〝気づき〟を与えられるチャンスが少なくなったのだとすれば、今度は映画というメディアを通してでも、気づくことができるかもしれない。そんな思いを込めて『地球交響曲　第二番』をつくりました。

「初女先生を観ていて私の亡き母を想い出しました」

という言葉を大勢の人から聞きました。私自身も心からそう感じています。その意味で先生は、日本のお母さんであり、アジアのお母さんであり、地球のお母さんです。先生に出会えたことを本当に心から感謝しています。

一九九七年　三月

追伸　ふきのとうの味噌和え、また食べさせてください。

第三章　夏　心で生きる

私たちひとりひとりの中には神様が宿っています。
ですから、どんな人と会う場合でも、
その人の中にいる神様との出会いを意識しています。
夜中に玄関のチャイムが鳴ると、
「誰だろう?」と思って、身支度をして玄関に立ちます。
開けていいのか悪いのか、すごく葛藤《かっとう》はあります。
ですが、私が「怖い」と思っても、
もし私の中に神様がいらっしゃるなら、
きっと戸を開けられるでしょう。
そう思って、私は鍵を開けるのです。

心は無尽蔵にある

夫が亡くなり、自由な身となりましたので、これからは、いよいよ本格的に奉仕に生きていきたいと思うようになりました。

私は幼い頃から八人きょうだいの長女として、弟妹の面倒を見ていたためか、人のお世話をするのを自然なことと受けとめていました。

私の進む道をはっきりと示されたのは、ある主日の御ミサの説教でした。

「奉仕のない人生は意味がない。奉仕には犠牲が伴う。犠牲の伴わない奉仕は真の奉仕ではない」

と、私の敬愛するヴァレー神父様が凜々《りり》しく語られたのです。私は神父様のこの説教に大きく心を揺さぶられました。この言葉は、それまでの私の生き方に対する問いかけでした。それまでも、お腹がすいている人がいれば食べさせ、着るものがない人がいれば服をあげ、ということはしていたのですが、それは自分が無理なくできる範囲でのことでした。

しかし、それではいけないんだ、ある線を一歩越えなければ本当の意味の奉仕ではない、私は、説教を聞きながら、体の中の血が駆けめぐるようでした。

「特別な能力も、経済力も持たない、ほんの小さな存在である私に、これ以上何ができるでしょう」

教会から家に帰る道々、私は神父様の言葉を繰り返し繰り返し考えていました。三月の雪解けの季節のことです。その頃は道路も整備されていなかったので、車の泥跳ねを気遣って、何度も立ち止まりながら、ずっとそのことだけを考え続けていました。

そして、ある交差点にさしかかって立ち止まったとき、ハッとひらめいたのです。

それは「心」でした。心は水が湧き出るように無尽蔵に絶えることがない。心を与えることは私にもできる。こう考えついたとき、周囲の風景が突然明るくなったような気がして、私は本当に豊かな気持ちで満たされました。

これをきっかけとして、私は「他人を生かすことによって自分も生かされる」ということを実感として受けとめられるようになりました。多くの方に出会い、共に心を通わせ合って生きる、私の新しい人生が始まったのです。

ヴァレー神父様の不思議な力

信仰の歩みを振り返るとき、神の国の師として尊敬するヴァレー神父様との出会いなくして、今の私はありえないということを、つくづく感じます。

ヴァレー神父様はフランス系カナダ人で、叙階後、大学で社会福祉を専攻され、宣教と社会福祉の夢を抱いて日本に渡ります。一九八〇年に急逝されるまで、二十六年間にわたって青森県の各教会で司牧される一方、地域での福祉活動に献身的に尽くされました。弘前教会の主任司祭を務められていたときには、知的障害児の通園施設「大清水学園」、続いて四年後に「特別養護弘前大清水ホーム」を創設なさいました。神父様の情熱に心を動かされた篤信の兄妹が、りんご園を含む全財産を提供したことにより、長年温められていた神父様の夢が実現したのです。

高齢期を迎えた兄妹に、全財産を投げ出すだけの決心をさせる神父様の不思議な力は、いったいどこにあったのでしょうか。

それは、言葉でもなく知識でもなく、どんなことも、どんな人も大切にし、温かい

在りし日のヴァレー神父様

心を通わせ続けた、神父様の福音の実践の中にこそあったのだと思います。

ヴァレー神父様の生き方は、「マタイによる福音書」二十五章〈空腹のときに食べさせ、かわいていたときに飲ませ、旅人であったときに宿を貸し、裸であったときに着せ、病気のときに見舞う、わたしの兄弟の最も小さいもののひとりにしたのは、すなわち、わたしにしたのである〉という聖書の言葉そのままでした。神父様は教会のひとりひとりをとても大切になさって、温顔の神父様が声をかけてくださると、まるで神様からまなざしを注がれているような思いでした。「ヴァレー神父様のきらきらした目に見つめられると、頑張ろうという勇気が出た」という人は数多くいました。

人生を変えた出会い

Hさんのことをお話ししましょう。

Hさんは片腕がないという障害を持っていましたが、どうしてそうなったのか真相を知る人はいませんでした。Hさんは、ときどき、歩行もままならないほどお酒に酔ったままの状態で、司祭館にヴァレー神父様を訪ねていくことがありました。

はじめはゴム紐を売りに、後になってからはお茶を売りにきていたのですが、お茶を持たずにきてお金だけをもらって帰ることも度々でした。そのようなHさんを見かねて、

「酒を飲んで教会に来るなんて、不謹慎だ」

と腹を立てる信徒もいました。それでもヴァレー神父様は、いつも変わらぬ温かいまなざしでHさんを迎え入れ、帰っていくときは必ず、

「お酒をやめなさいね」

と優しく諭しながら、その後ろ姿を見送っていました。

あるときには、Hさんの泥まみれのズボンを、神父様が自分のものとはき替えさせてやったこともありました。神父様のもう一枚のズボンはクリーニングに出してあったので、替え用がなかった、と後で神父様のコックさんから聞いて、私は心をいためました。

ある日のことです。市役所の保護課の人が神父様を訪ねてきたところ、司祭館の前に泥酔したHさんが倒れて寝ていました。市役所の人は、聖なる教会の前で何という

醜態を、と思ったのでしょう。

「お前、ここで何をしているんだ」

とHさんを厳しく叱《しか》りました。その声に、神父様が静かに出ていらっしゃって、

「その人は私のお客様です」

とおっしゃったそうです。保護課の方は恐縮しきっていたということでした。

そのようなことを繰り返すうちに、聖堂で祈るHさんの姿が見かけられるようになりました。Hさんのこのような姿を一体誰が想像したでしょう。この頃から、Hさんは酒を断つ決心をしました。根気よく入退院を繰り返し、見ていていじらしいほどの努力を続けました。

そしてとうとう神様はHさんの祈りに応え、Hさんはついに受洗の恵みに与ることができたのです。神の子となったHさんは、熱心に教会に通い、体が回復するに従って軽い農作業を手伝うようになりました。また、子どもたちがかわいいのでと、ガールスカウトやボーイスカウトの活動に、寄付をしてくれたこともありました。

Hさんは主日には、一時間も前から来て御ミサの始まるのを待っていました。始ま

る時間になると、Hさんは片腕と上半身に太い綱を巻き付け、全身を屈伸させて鐘を鳴らします。その音で御ミサが始まるのです。教会のために全身全霊を傾けて働くことが、Hさんにとっての生き甲斐《がい》でした。

どんな人も心の根底では、「いい人になりたい」と願っているのだと思います。それなのに生活の状況が苦しかったり、周囲の理解がなかったりすると、人間は弱いものですから、自分の本当の気持ちとは全く反対の形で、崩れた生活を送ることもあるでしょう。しかし、Hさんはヴァレー神父様との出会いを得て、愛の恵みに触れ、崩れた生活を変えることができたのです。

目立つことをして名声を残すのではなく、真実に生きることが、神父様が望まれた奉仕でした。最も尊いことは、自分のかけがえのない大切なものをさしだす心です。持ち物、時間、能力など、自分にとってかけがえのないものを他者に与えたときに、神様は必ずそれ以上のもので私たちを満たしてくださいます。

神様はひとりひとりの中に

神父様の急逝は、あまりにも突然やってきました。

「奉仕のない人生は意味がない。奉仕には犠牲が伴う。犠牲の伴わない奉仕は真の奉仕ではない」

ヴァレー神父様がこの説教をされたのは、ちょうど大清水学園の創設の準備で奔走されていたときのことでした。全身全霊でこのことに取り組んでいらっしゃった神父様は、ご自身にも言い聞かせるような気持ちで、そのことをお話しくださったのだと思います。ですから、それは私の心ばかりではなく、他の信徒の心にも強く響いたのでしょう。大清水学園は、多くの賛助者を得て創設されたのでした。

神父様は他にも、比較的元気な老人のために老人アパートを建て、体が不自由になったら老人ホームに入所できるようにする計画や、ホームに保育園を隣接させる希望を持っていらっしゃいました。老人が子どもの声を聞くことによって、昔を思い出したり、元気を取り戻せるのではないかとお考えになったのです。しかし、志半ばで、神父様は突然お亡くなりになりました。

　突然に師を失ってしまった私たち信徒の衝撃は、言葉では言い尽くせないほどのものでした。悲しみと緊張のうちに、お通夜、告別式がとりおこなわれ、そして最後の偲ぶ会が終わった夜、誰いうともなく、二十人くらいの人が私の家に集まってきました。

　私たちは、失意の中、今後のことについて話し合いました。そして、神父様が生前望まれたように生きていくことこそ、師への慰めではないかと皆の意見が一致し、お互いに勇気づけ、力を合わせていきましょうと誓い合ったのです。

〈もし一粒の麦が地に落ちて死なないならただ一つのまま終わる。しかし死ねば多くの実を結ぶ〉（「ヨハネによる福音書」十二章二十四節）

　神様は神父様の急逝という苦悩をもって、私たちを、より真実に信仰に生きる道へと目覚めさせてくださったのです。

　神父様が亡くなってからは、それまで神父様のもとを訪れていた人たちが、私の自宅に来るようになりました。訪ねてくる方々とお会いする度、ああ、この人も神父様のもとに行っていたんだ、この人もと、あらためて神父様の深い御心に触れ、胸が熱くなる思いでした。

人はひとりでは生きられません。誰かと一緒なら生きられます。その誰かというのは、実はひとりひとりの中に宿る神様なんです。神様は私たちの目には見えませんし、声も聞こえてこないのですが、生身の人間、肉体を通して、私たちに働きかけてくださいます。

そのようにして神様から招かれている私たちが、お互いの関わりによって癒され、成長していくこと、それが私たちの生涯にかけられた使命だと思うのです。

ヴァレー神父亡きあと、初女さんはその遺志を受け継ぎ、弘前大清水ホーム後援会会長、ガールスカウト県支部長、弘前カトリック教会信徒副会長を二年、会長を十年間、さらには共助組合日本連合会の理事を務めます。

信徒会長としての日々

ヴァレー神父様亡き後、後任の神父様から、私は、弘前カトリック教会の信徒会長の推薦を受けました。その当時、女性の信徒会長は大変珍しかったのですが、真摯《しんし》に受けとめこの役を引き受けさせていただきました。信徒会長は、信徒にお祝いやご不幸があるときにはすべて出かけていきますし、病気の方のところには、毎週、神父様とお見舞いに行きます。私の所属教会の信徒は約四百名で、実際教会に顔を出す人は百二十名ぐらいでした。信徒会長としての表立った仕事をするだけでなく、信徒ひとりひとりの喜びや悲しみを受け止め、わかちあっていく、それが私の信条でした。私は、名前だけの会長ではなく真に皆さんと心が通じあえる会長でありたいと願い、努めてきました。

私の自宅を訪れるようになった人たちの中でも、先ほどのHさんとの思い出は今でも深く心に刻まれています。

めったに来ることのないHさんが、ある日ぶすっとした表情で私の家に現れました。

Hさんは硬い表情のまま突っ立っています。私はまだ食事の片づけもしていなかったのですが、とりあえず部屋に通し、熱いお茶をすすめました。Hさんは、

「ああ、うめぇ」

と一口飲んで、さらに遠慮深く、

「もう一杯」

といい、三杯目を飲み終える頃にはやっと緊張が緩んだようでした。

Hさんがポツリポツリと話すには、今まで住んでいたアパートが老朽化したので新築の市営アパートに移転するように勧められているとのこと。そのためには新しく契約をしなおさなければならず、私に保証人になってほしいというのです。私は快く引き受けることにしました。Hさんはホッとして肩の力が抜けたのでしょう。そのあともいろいろと話してくれました。

「最初に保証人がいると聞いたとき、民生委員なら大丈夫と思いお願いしに行ったが、『お前の保証人になんかなれない。ほかにも保証人を頼んでくる人はたくさんいるんだ』と冷たく断られた。それからあの人なら、この人ならと、八人を訪ね歩いた。最

後に教会で、五、六人集まっているところでも話してみたが、聞いてくれる人は誰もいなかった。信徒会長さんなら引き受けてくれるかと思って来てみた」

「保証人がないと、アパートを借りられずに住むところがなくなる。そんなことを考え、何日も眠れなかったので、昨夜は苦しくなって、今まで酒を断っていたのに、コップ酒を買って飲んでしまった。失敗した」

Hさんはここまで打ち明け、用意してきた申請書を出しましたので、私は早く安心させたいと思って、その場で必要な事項を記入し、印を押して渡しました。Hさんは来たときとはうって変わって足取りも軽く、市役所に向かいました。

やれやれと思ったのも束の間で、Hさんは一時間もしないうちに浮かぬ顔をして戻ってきました。私の収入が少ない、という理由で申請書が受理されなかったというのです。

「お金のある人は引き受けてくれず、引き受けている私に資格がないとは」

と大変悲しく、複雑な気持ちでした。それでも、市役所に勤める知人の尽力で、ようやく書類は受理されることになりました。

このようなことがあって、Hさんとはますます関わりが深くなっていったのです。そんなある日、Hさんの急死の知らせが私のもとに届きました。教会にだけ連絡をし、飛ぶような思いでアパートに駆けつけてみると、死後三日経過しているとのことでした。

後から着いた妹という人の話によると、Hさんは十七歳で函館の家を飛び出して全国を放浪し、その間に片腕を失い、まわりまわって弘前についたときには、酒なしでは暮らせない状態になっていたそうです。

辛いことの方が多かったHさんの生涯ですが、ヴァレー神父様に出会えたことで、長い間背負い続けた重い荷を下ろすことができたに違いありません。Hさんは、今は神様の下で永遠の安らぎを与えられ、静かに眠っています。

神様の時間を使う

私が人と会うために心がけていることは、いつも新しい気持ちでその人に会う、ということです。私は朝から晩まで、常にたくさんの人に会っています。ですが、ただ次から次へと漫然と会うのでなく、「この人と私の時間は今がはじまり」と思って、ひとりひとりとの出会いをとても大切にしています。疲れているからとか、都合が悪いので明日にしてくださいとか、明後日ならどうでしょう、とお断りすることは滅多にありません。この人は今このときに私を必要として来ているのであって、明日になればもう必要でないかもしれないのですから、「今」受けとめたいと強く思うのです。

それでも、私も一応は、明日はこういう用事があるんですよ、今こういうことがあるから時間が足りなくて困っているのよ、とそのときどきの事情を相手に伝えます。でも相手は、ああ、そうですか、というだけで、私の言葉は全然通じません。それだけ自分の抱えている問題で、頭がいっぱいになってしまっているのでしょう。

このような毎日を送っていますと、もちろん大変疲れますし、時間にも追われます。でも、そういうふうにして自分の持っている時間を「神様の時間」として使うと、神様は私がさしだした以上の力を与えてくださるのです。

嫌だと思いながら人に会うと、疲れもひとしおに感じられます。そうではなくて、神様から与えられた喜びの時間として受けとめるよう心がけることで、疲れもずっと軽く感じられるようになります。長い間続けてきて、私はそのことに確信を持っています。

ガールスカウト活動への参加

ヴァレー神父様は日頃から青少年の教育を案じていらっしゃり、青少年の健全育成に努めてこられました。その活動の一環として、神父様は弘前カトリック教会にガールスカウトの青森県支部第九団を発団されました。

私もガールスカウト運動の創始者ベーデンポウエル卿の精神にひかれ、ガールスカウトの育成会の活動に携わっていました。

「他の人を幸せにしなさい、そうすればあなたも幸せになる。なぜならそうすることによって、あなたは神の御心を行っているのだから」

これが創始者の残した言葉の一つです。ガールスカウトの中で学ぶ技能は、それを習得すること自体が目的なのではありません。すべては、将来、人に役立てる市民となるための手段なのです。活動の究極の目的は「人間としてどうあるべきか」を学ぶことであり、それが創始者の基本の理念でした。

この運動については、以前から関心を持っていたのですが、私には娘はいませんでしたので、活動に携わる機会もなく過ごしていました。だからこそ憧れも関心も強かったのでしょう。教会でガールスカウトを発団したときには、私は後援会のような形で参加させていただきました。

発団して五、六年経った頃でしょうか。総会の席で、神父様から突然、次期団委員長は私だと告げられたのです。事前に相談もなく、あまりに急なことでしたので驚き、後で神父様に、

「こういう大事なことをお決めになるのでしたら、五分でもいいから事前に、ちょっと話してくださればよかったのに」

と申し上げました。神父様は、

「あなたに先にいったらきっと断るでしょうから、断られる前に決めました」

というのです。

私は選任された以上は責任を持って活動しなくてはならないと意を決しました。そ

大清水ホームにて

して活動に真剣に取り組んでいるうちに、ますますガールスカウトの精神が好きになり、随分と多くのことを学びました。

子どもたちは、今は、自分たちのしていることの本当の意味を理解できないかもしれません。でも、一つ一つの活動が、心に印象深く残って、それが子どもたちの将来によい影響を与えてくれれば、と願って、もう二十年もの間、活動を続けています。

ガールスカウトの三つの理念

ガールスカウトには三つのポイントがあります。「自己開発」「自然とともに」「人とのまじわり」です。「自己開発」のためには何をするか、「自然とともに」はどういうことをするのか、「人とのまじわり」ではどういうことをするか、これを毎週の集会のプログラムに盛り込んでいきます。

例えば「自然とともに」ということも、実体験の中から学んでいきます。木に何かを結ぶとき、普通は、直接木に結ぶことが多いのではないでしょうか。私も以前はそうしていました。しかしガールスカウトでは、木のいのちを大切にするために、新聞紙などを木に巻いて、その上から結ぶことを教えます。また、キャンプファイヤーなどで火を焚《た》く場合、土の上で直接火を焚くと、土が焼けて、土の持つ力が死んでしまうので、先に石を敷いてその上に木を組んでいきます。また、終わった後の燃え殻は、誰の目にも触れさせないように、次の日の朝早く夜明け前にでも誰かが始末をします。燃え殻をそのままさらしておくことは、木のいのちに対しても、それを見る人に対しても失礼なことだと考えるからです。これらはいずれもとても些細なことなのですが、心を育てていくためには貴重な経験となります。

また、ガールスカウトは品格ということを重んじています。そのことも私がひかれた理由の一つです。品格というものは、体全体からにじみ出てくるものです。まず礼儀正しいこと、温かいこと、優しいこと、そして判断力・決断力を備えていること、品格というのはそれらが統合されて培われるのだと思います。品格は、人間だけに神様から与えられた宝物です。私自身、立派な品格を持ち合わせた人間とはいえませんが、それを身につけようと心がける気持ちだけは、いつも失わずにいたいと思っています。

生活のすべてが教育の場

私は、教育についていつも関心を抱いてきました。現在の教育は、とかく学校や塾などでの知識の詰め込みと押し付けに視点がおかれがちです。しかし、教育というのは学校教育のみならず、生まれたときから死ぬまで続くもので、特に人間形成の基礎になるのは、家庭教育だと思います。

ある日曜日の朝、ガールスカウトの集会をしているところに、若いお母さんが不安そうに十歳ぐらいの女の子を連れてきました。

「この子は反抗的で、家では何も話さないし、親のいうことも聞きません。学校ではいい子で、特に問題はないといいますが、このままでいいのか心配なので」

と入団を希望してきたのです。

私がガールスカウト運動の趣旨と方針を説明し、

「一緒にやってみて、その後で入団について相談しましょうね」

と申しますと、母子共に快く了承しましたので、早速仲間に迎え入れました。

お母さんの心配をよそに、その子は毎週の集会にはきちんと出席しましたし、友だちもでき、リーダーともよく話します。私は、

「どこがいけないんだろう。この子は心配な子ではない」

と、不思議に思いながら過ごしていました。

その子は夏季キャンプにも進んで参加していました。キャンプ二日目のキャンプファイヤーの夜、お母さんは、娘がどうしているのか心配で、陣中見舞いということで様子を見にきました。

あちらこちらとわが子を探しているお母さんをいち早く見つけたその子は、

「なぜ来たの、帰って」

とお母さんをにらんで、キャンプファイヤーの輪の外に、お母さんを押し出してしまいました。

「どうしてT子はこうなんでしょう。よそのお子さんはみんな喜んでお母さんと会っているのに」

と、お母さんは震える声で私に訴えました。私は、

「T子ちゃんはよく気がついて働くし、責任感も強いし、お話もよくしてくれますよ」

と、お母さんを安心させるようにいいました。

「学校でも同じことをいわれます」

「だとすれば、学校でもガールスカウトでもいい子なんだから、問題はお家《うち》にあるようですね」と問いかけますと、お母さんは私の言葉を案外素直に受けとめながら、

「それはお父さんなのです。お父さんが全然叱らず、私ばっかりが叱るので、私を嫌うのです」

といいました。

このような問題は、子どもが親から離れて自立に向かおうとする時期に、親の子離れができていないために起こることだと思います。誰もが通らなければならない道ですが、それは、新しい生命が誕生する産みの苦しみにも似て、親にとっても子にとってもとても辛いことです。

一日二十四時間、生活のすべてが教育の場です。親の後ろ姿を見て子は育つといい

ます。子どもたちは、親や教師の言葉ではなく行いを見て育っているものです。

子どもの意志を妨げることなく、温かく成長を見守って、子どもが親を必要とするときにはすぐに手をさしのべる、それが親として求められる心構えでしょう。

しかし、子どもと常日頃から心を通わせていないと、手をさしのべるタイミングを見逃してしまいます。心を通わせながら子どもを見守っていくことは、親自身の気づきと成長にもつながります。

最近では、親も教師も、「見守る」ということが、なかなかできなくなっているのではないでしょうか。世の中全体がせわしなくなって、結果や答えをすぐに求めたがり、つい口の方が先に出てしまいがちです。

このような中で、ガールスカウトの活動は、今最も求められている「心の教育」につながるものといえるでしょう。ですから私はこの活動をもっと多くの方々に伝え、その理念を理解していただきたいと願っています。

シスター鈴木との出会い

人生には、さまざまな出会いがあります。出会いなくしては何事も始まらないと私は常々感じています。また、出会いを通して、神様のお働きを感じることもしばしばです。その中でも鈴木秀子先生との出会いは、私にとっては大変大きな意味を持つものでした。

シスター鈴木と初めてお会いしたのは二十年以上も前、青森駅のホームでのことでした。私が、母校を訪問するために弘前から電車に乗り、青森駅に降り立ったときのことです。私は、母校のシスターがホームに立っていらっしゃるのを見つけました。私はてっきり私を迎えにきてくださったのかと思い、「どうしたのですか」と声をかけました。

「今、お見送りにきたんですよ」

「どなたのお見送りですか」

「鈴木先生です」

「あら、鈴木先生ってどの方なの」

「あの方ですよ」

鈴木先生はちょうど私が降りた電車の向かい側に停まっていた電車に乗っていらっしゃいました。私と鈴木先生の目と目が合って、お互いに会釈をしたところで、電車はホームを滑り出しました。

ほんの一瞬の出来事でしたが、私は何か強く心をひかれるものを感じ、シスターと母校に向かう道すがら、鈴木先生のことをお訊ねしてみました。

鈴木先生は母校のシスターとは旧知の友人で、聖心女子大学の教授でシスターでもいらっしゃいました。毎年、大学（青森明の星短期大学）での講演に鈴木先生をお招きしているとのことでした。

そういうことでしたら、私も弘前から人を連れてお話を聞きにうかがいたいので、この次は知らせてくださいとお願いしましたところ、シスターは、

「佐藤さんご自身で呼ばれたらいかがでしょう」

というのです。

「といわれましても私には呼ぶ力もありません」

「鈴木先生は、お金のことは気になさいません。ご都合が合えば、来てくれますよ。直接連絡してみてご覧なさい」

それで早速ご連絡をさしあげてみたのですが、ご不在で何のお返事もありませんでした。後から考えれば、ちょうど、鈴木先生が臨死体験をした事故にあわれた頃のことだったのです。

それから先生は回復され、一年ほどしてまたご連絡をさしあげましたところ、喜んで弘前まで来てくださいました。

最初は二十人ほどで集まって、文学の講演をしていただきました。そのときは一泊でお別れしたのですが、それから、私どものお招きに応じて、度々弘前を訪れてくださり、私たちの交流が始まったのでした。鈴木先生がいらっしゃるときは、福祉施設の職員の研修や、ガールスカウトのリーダーの研修、教会の人たちの研修など、あちらこちらで講演をしていただきました。また、毎年の明の星短大での講演の帰りには弘前に寄っていただき、土地の人たちとも和やかな交流の場が持てるよう、講演などを準備したりもしました。

弘前にいらっしゃるときは、私の自宅に滞在してくださいました。滞在中に原稿をお書きになることもあり、またお掃除を手伝ってくださったり、悩みを抱えている人の話を聞いてくださったりと、まるで家族のように、生活を一緒にする機会に恵まれました。

聖地だけが聖地ではない

それから五年ほどの歳月が流れた頃でしょうか。

初秋の日も暮れかかり、私は短大で教えていたろうけつ染めの実習を終え、家路を急いでいました。今思い出しても不思議なことなのですが、私は家を目の前にして、ふと立ち止まってしまいました。その瞬間、

「長いこと求め続けていた二階の増築も、もう私の力ではどうすることもできない」

ということが、胸をつかれるように心に響いてきました。

当時、私の家は和室二間と台所と染め物の教室がある平屋の家でした。これまで、

悩み、苦しむ人たちに自宅を開放してきましたが、泊まる人が重なると、同じ部屋に泊まってもらわなくてはなりません。それぞれに悩みも違いますし、心を癒したいと切に願ってこの場を求めてきているのに、見知らぬ他人と一緒だと気疲れもするでしょうし、互いに話もしにくいでしょう。私はそのことをずっと気にかけていました。

染め物の教室も以前は台所兼食堂にしていた部屋を増築したものでした。教室に集まる人が増えるにつれて、これではやはり狭いと思うようになった頃、ちょうど教会の主宰する聖地巡礼で、イタリアのアッシジに行くことになりました。巡礼のためには、当時のお金で百万円ぐらいの費用が必要だったと思います。

私は、聖地巡礼に行ってお金を使うよりも、そのお金で自宅を増築して、人が集まったり、ろうけつ染めの教室として使ったりするための、グループ活動の場をつくりたいと考えました。聖地だけが聖地ではない、ここにも神様がいらっしゃる、そう決断しまして、私は聖地巡礼のための費用で庭を潰して四畳半の部屋を広げ、教室に改築したのでした。一九七九年のことです。

「弘前イスキア」が生まれる

しかし、もはや二階を増築する以外、広げる土地はありません。でも、自分の力はとてもそこまで及ばないので、

「もしここに奇跡が起こって『このお金で建てなさい』という人が現れたなら、できるかもしれない。でも、そんなことはありえない」

と、悲しい思いで自分の願いを打ち消したのでした。

けれど、この初秋の夕方の自分自身への問いかけで、私は、人間の力の限界を超えた道を示されたように思いました。最後までとことん苦しみ抜いたら、あとは神様のお望みにお任せするしかないのです。

それから一週間ぐらい経った頃でしょうか。再び弘前に鈴木先生をお迎えし、そのときは講演の日程の都合で、十日間ほど生活をご一緒しました。十日も一日のように短く感じられるほどに過ごし、いよいよ最後の夜になりました。先生は編物の手を動かしながら、

「ここには、こんなに多くの人が集まってきて、心を癒し、元気になって、また社会のために働いているのですね。これからも、このような方々を受け入れていくための場所があったら、大きな助けになりますね」

とおっしゃいました。そして、少しの沈黙の後、

「お部屋をつくるのにどのぐらいかかるでしょうね」

と静かに語られました。私は、この言葉の重みを非常に深く感じました。

鈴木先生の、このさりげなく話されたお言葉がともしびとなり、多くの方々の賛同を得ることができました。そして、お寄せいただいた募金によって、一年足らずで、奇跡と思われた二階の増築が完成したのです。私はまさに神様の存在を確認する思いでした。

一九八三年十月、弘前の家は「弘前イスキア」と名づけられ、生活を通しての気づきの場として新たなスタートを迎えました。ここが「森のイスキア」の前身でもあります。

それまで、私は「奉仕によって生きる」ことを信条にして歩んできましたが、弘前

イスキアでは、それが形なき形として結晶したように思います。

「弘前イスキア」の出発にあたって、現実にどのように進めていったらいいのか、私に何かはっきりした術《すべ》があったわけではありませんでした。ですが、それまでの体験から、今ある現実に心を通わせ、真実に関わることによって道が示されるということには、確信を持っていました。自分にできるのはほんの小さなことだけれど、自分を捨てて捧げたときには、神様は自分の力を超えた偉大な力を与えてくださるのです。

神様によって示された道とはいいましても、現実は、つまずき、迷い、挫折し、常に苦しみが伴うものでした。思うように進めないときには、無理をせず、しばしば止まって、ときを待ちました。

一つ一つが苦しみであったといっても、私はその道を一人で歩いたわけではありません。集ってくれる人々の支えは、常に共にありました。「弘前イスキア」が五年目を迎えたとき、それまでに受け入れた人の数は四百人を超えていました。今、こうして鈴木先生との出会いを振り返り、この出会いが、私の生涯に新しい展開をもたらす大きなきっかけとなったということを、あらためて強く感じています。

明の星学園への深い感謝

私の人生を振り返りますとき、これなくしては語ることのできない、大きな出会いがあります。それは、母校明の星学園との出会いです。

明の星学園の母体は一八五三年に創設された聖母被昇天会という修道会で、カナダのケベック州のニコレットに本部があります。一九三四年に青森に五人の修道女が派遣され、三七年に青森技芸学院として開校しました。四六年には、青森明の星高等女学校に校名が変更され、現在にいたっています。今では学園の中に、高等学校・短大・幼稚園、姉妹校として、弘前明の星幼稚園、浦和明の星女子短大・高等学校・幼稚園があります。（単行本執筆時）

前にもお話ししましたように、病気をして、函館から青森に静養で帰ったのが、私と明の星学園との出会いのきっかけとなりました。病気の私の入学を許可していただいたことを、私は何ものにも替えられないほどありがたいことと、今でも感謝していいます。母校に対するその思いを何とか表したいと思い、卒業後は同窓会の仕事を三十年以上にわたって続けてきました。

私はここでカトリックの信仰と出会い、その信仰によって生きる道を支えられてきました。卒業後も、自分ひとりではどうにもならない苦しみや悩みを抱えたとき、また人生の節目節目には、母校のシスターのもとへ相談にあがっていました。

初代院長越後谷先生の、

「お金や物はときの流れのまわりもの、やがては消える。だから仕事を残しなさい。仕事は永久に残る」

という言葉や、また、創立者のひとりである恩師シスター・ドルインの、

「今このときを大切に真実に生きなさい。そうすれば与えられる」

という言葉は、今でもかけがえのない贈り物として、私の生きる指針となっています。

学園の創立者は、カナダに帰国されるとき、

「私は帰国するけれども、あなたがこの同窓会の仕事をしてくれることで、私は大変慰められます。ぜひこれを続けてください。約束ですよ」

とおっしゃいました。私はその言葉に励まされる思いで、その後も続けて同窓会会長を務めさせていただきました。

明の星学園創立五十周年のとき、私たちは一行三十八名のツアーを組み、カナダの本部に表敬訪問をいたしました。私の敬愛する創立者が車椅子で玄関まで出迎えてくださいました。そして私の手を取り、

「あなたは私との約束を忘れず、今も同窓会の仕事をやってくれていますね」

とおっしゃいました。

「はい、忘れておりません」

「まだ、これからも続けてくれますね」

私は「はい」とはお返事したものの、心の中では五十周年を機に、同窓会会長の大役を後任に譲りたいと考えていたのです。しかし、創立者の言葉で、私はそのことをまた考え直さなくてはならないと思いました。創立者は帰り際にも車椅子で見送ってくださり、また私の手を握って、

「わかりましたね、約束してくださいね」

と強くおっしゃったのです。
私はこのときの約束を胸に、引き続き同窓会会長の任にあたっています。これだけ長く続けられましたのも、ひとえに、母校への深い深い感謝の思いがあったからだと感じています。

佐藤初女さんは弘前学院短大の染色講師、NHK文化講座講師として活躍したかたわら、自宅の工房をろうけつ染めの教室として開放し、指導を続けてきました。ろうけつ染めとは、ろうで描いた部分だけが染まらないようにして、文様を表現する技法です。

ろうけつ染めへの憧れ

私の娘時代の頃のことです。当時、ろうけつ染めは、デパートでも特別コーナーに飾られるほどの、大変な高級品でした。その頃は、現在のような化学染料はなく、す

べて草木染めだったと思います。それらの作品からにじみ出る、奥ゆかしい美しさに、私は心を強くひかれました。

ろうけつ染めの作品は、とても女学生には手にすることのできない高価な品でしたので、私は学校帰りにデパートでただそれらを眺めるだけで満足しておりました。

女学校三年のときのことです。家庭科の時間に「染色」という科目があり、そこでは様々な手法の染色を学ぶのですが、その一つにろうけつ染めがありました。それを知った私は、ろうけつ染めの授業が来る日をどんなにか心待ちにしたことでしょう。しかし、ちょうどその授業のとき、私は病気がひどくなって授業に出られず、とうとうろうけつ染めを学ぶことができませんでした。私のろうけつ染めに対する憧れは、ますます強くなりました。

その後、教えてくださる先生を探してみたりもしたのですが、体の弱い自分には、そのような高等な技術は習得できないだろうと、半ば諦めておりました。

しかし、思わぬめぐり合わせで、私はろうけつ染めを学ぶ機会に恵まれました。それは弘前に移住したときのことでした。主人の親友で日本画の伊東孝之画伯から、戦争で京都から弘前に疎開をしていたろうけつ染めの先生を紹介されたのです。それが、師、吉崎清先生との出会いでした。私は早速先生のもとを訪ね、基礎技術の習得に励みました。

心を染める

染めをするときに、ただ美しさだけを求めたり、高度な技術を駆使することにばかり気をとられていると、できあがった作品をどうしても人のものと比べたくなったりして、心が騒がしくなるばかりです。

私は、染めることの純粋な喜びが、真に美しい作品を生み出すのだと思います。それが私の染めの原点です。

ろうけつ染めをしていて感じることは、作品に制作者の心が直接表れるということです。急いでいたり、不安があったり、また心を込めずに描いたりしたものは、すぐわかります。ですから私はいつも、「染めは心の表現、心の染め」と、いっています。

ろうけつ染めの基礎は吉崎先生に弟子入りして習いましたが、後は自分で開拓していくものだと感じていましたから、いろいろと自分で試行錯誤を重ね、発見しながら染めを続けてきました。今、人に教える際にも基礎だけはしっかりと教えますが、後はひとりひとり個性がありますから、それを伸ばすようにしています。何もかも全部教えてもらい、すべて先生の指示を仰ぐやり方を好む人は、私のところでは満足できないのでしょう。教室をやめていく人もときにはいます。

作品ができあがったときの喜びは、また次に進む力になります。気に入った作品ができても、それで満足して終わりということはありません。次はこうしてみよう、こんなものを表現してみたいと、次々と意欲が湧き出してきます。人にさしあげる作品をつくっているとき、あの人は何色が好きだろう、あの人にはこの色が似合うかなとか、いろいろと思いをめぐらすのも、楽しみの一つです。

例えば紫陽花《あじさい》一つ描くにしても、表現の仕方によって、花の表情は様々に違ってきます。習いたてのうちは、既にある図案の線をたどって描きます。しかし、それだけでは、まだ作品にいのちが宿っていません。同じ図案を使っても、線の中に、花がぱっと開いた感じを込める、葉なら葉の強い勢いを出すように思いを込めて描く。それで初めていのちを宿す作品ができあがります。

一九七九年、主宰する弘前染色工房のために、初女さんは自宅を増築して教室をつくりました。そのときに、母校、明の星学園の創立者、ジゼール・ドルイン先生から寄せられたお祝いの言葉は、今でも初女さんの心の支えになっています。

染色教室の落成祝別によせて（ジゼール・ドルイン先生の言葉より）

本日は「染物」という趣味を通して集う方々の心を開き合う場として、佐藤さんの念願の教室が落成いたしました。その祝別の良き日にあたり心からお喜びを申しあげます。おめでとうございます。

私は、今この祝別の恵みに与りながら、佐藤さんとの三十有余年にわたる思い出を追っておりました。

この思い出の中から、思い出すままに、今日ここまで事をなしてこられた佐藤さんの人となりや昔話を、お祝いの言葉として述べさせていただきたいと思います。

まず、第一に思われることは、佐藤さんは私ども明の星学園の前身、青森技芸学院の第一回生であり、今日ここに祝別された教室もまた技芸の教室であるということに、何か見えない摂理の御手の働きを感じないではいられません。佐藤さんが私どもの青森技芸学院に入っておられた頃を思い出してみますと、たしか昭和十三年頃だったと思いますが、当時は学校内で宗教についての話は一切禁じられておりました。第二次大戦の気運が濃かった時代でしたからやむをえなかったのでしょう。けれども純粋な佐藤さんは真理を求めることにも熱心で、学校ではできない宗教の話を、隣接してあった私どもの修道院「聖光寮」に通って勉強しました。当時、この「聖光寮」にまで通って教えの道に心を開いたのは、佐藤さんが一番最初だったと思います。しかし、佐藤さんの熱心さにもかかわらず、昭和十六年には第二次大戦がはじまってしまい、私ども外国人修道女は帰国のやむなきに至りました。その後、佐藤さんは、真理探究の灯《ひ》を消すことなく守り続け、受洗の恵みに浴したわけでございます。

私が佐藤さんのお人柄の中に一番強く感じることは、単純、率直、心の正しさでございます。そして、何事にも、全身全霊を傾けて、熱心に献身する方だということです。佐藤さんが母校を愛されることは、他に類を見ないことで、それは明の星同窓会の会長という任の重い役目を、何年も献身的に遂行されることによく表れております。どんなに申し上げても佐藤さんのお人柄を申し上げるには、私の言葉は貧しく、舌足らずで申し訳ないものですが、いわずにいられない私の思いをお汲み取りください。

聖書の中に「神が共におられるのでなければ人の労苦は空しい」という言葉がございますが、この教室に集う方々が「染め」というものを通して、芸術、芸術を通して美の探究へ、美を通して美の源である神へ……と開かれるよう、そして神様と共にこの教室で働かれる佐藤さんの上に聖母マリアの祝福をお祈りして、私のつたないお祝いの言葉といたします。

心の貧しい人は幸いである

ろうけつ染めを通しての出会いにも、様々な深い思い出があります。

日頃尊敬しておりました北海道大学医学部出身の武部和夫教授が弘前大学に就任さ

れて十周年のお祝いを迎えられたとき、記念品の御依頼を受けました。

北海道大学の学花は、〝実が地上に落ちてから根を張り、茎を出して開花するまで十数年を要する〟という「えんれい草」でした。武部先生は門下生と共に、その花にちなんで、「えんれい会」という会をつくっていらっしゃいました。

そこで私は、テーブルセンターに、故岡部陽画伯の筆によるえんれい草の図柄を染めました。画伯の、ソフトながらも力強く、包容力あふれたタッチを、染めの上でも表現したいと思い、誠意を込めて仕上げ、お納めしました。

また、特に思い出深いのは、知的障害者の施設「大清水学園」の開園二十周年のときのことです。記念の品として、一枚で、壁掛けや小風呂敷、ふくさ、お茶掛けなど多様に利用できるものを、ろうけつ染めでつくってほしいと頼まれました。

「心の貧しい人は幸いである」という聖句を入れてあれば、あと図案はお任せしますということでした。いろいろと考えた末に、大きな木を図案に使おうと決めました。子どもたちの成長を大きな木に託したいと考えたのです。しかし、なかなか私が求めるような図案が見つからず、構図も決まりませんでした。

そんなある日、明の星高等学校仙台支部の総会のために仙台まで出かけていく機会がありました。帰りに後輩の工藤正子さんが一冊の絵本をくださったのです。

それは、シェル・シルヴァスタイン作・絵の『おおきな木』という絵本でした。工藤さんは大衆食堂を営んでおり、人に接触する機会も多かったのですが、自分が感銘を受けた本があると、その本を買い置いて、ふさわしいと思う方にさしあげていました。私がいただいたのもそのうちの一冊でした。工藤さんは、私が「大きな木」を探していたのを知っていたわけではありませんでした。

私は本をいただいた瞬間に、「これこそ私の求めていた木だった」と感激し、これを図案にしようと決めました。そして仙台からの帰り道、青森から弘前までの電車の中で、その本をじっと眺めていましたら、向かいに座っていた方から、

「あなたはキリストですか」

と声をかけられました。答えに困って、心の中で「私はキリストではないのだけれど」と戸惑いながら、

「カソリックの信者ですよ」

と答えました。

「実は、私には障害のある子どもがいるのですが、何をしても覚えがよくありません。今その本を向かいから見ていて、この本ならばうちの子にも読んでやれるような気がしました。何とかその本を手に入れることはできないでしょうか」

というのです。

『おおきな木』は、あるひとりの少年に、その少年が年老いるまで、いつも変わることのない愛を与え続けてきた大きなりんごの木のお話です。言葉と絵は大変簡素なもので、その絵を見ているだけで、りんごの木の大きな愛を十分感じとることができる、大変優れた絵本です。

電車の中の出会いにも、私はまた、神様のお働きを感じました。それで、この本は今すぐにはあげられませんが、かならず近いうちにお送りしましょうとお約束をしました。そして名刺をいただき、帰ってからすぐ本を注文して入手し、その方にお送りしたのです。

さて、大清水学園から頼まれた記念品は三百枚です。三百枚を染めるのには、数カ月かかります。失敗もありますので、それを見込んで三百五十枚ほど染めなくてはなりません。大変光栄な仕事ではありましたが、時間的にも精神的にも大変な数カ月でした。

作業を進める間、うちに来てそれを見た人たちから、

「心の貧しい人は幸いである、とはどういう意味ですか」

とよく訊ねられました。

「この、『心の貧しい』とは、今を満足する心のことなんですよ。どんなに病気であったとしても、体に障害があったとしても、その現実を、神様からのプレゼントとして素直に受け入れることのできる心を持っている人は幸いである、ということなのです」

とお話ししました。

図案には赤いりんごの実も描きました。この〝赤い実〟は神様からひとりひとりに与えられたプレゼントを意味しているんですよ、ともお話ししました。すると、それを聞いた人たちが、「私の姪《めい》にも身体障害の子がいる」とか「息子も体が不自由で」と、

それぞれの身の上を打ち明けるようになったのです。

それまでいくら親しくおつき合いしていても、心の内はなかなか開いてくれなかった方たちが、この絵をきっかけにして、心を打ち明けてくれるようになりました。そのときからはじまった深い交流は、今も変わることなく続いています。

初女さんは今まで大勢のお年寄りの死に立ち会ってきました。身よりのないお年寄りが亡くなるとき、それまで誰にも話さなかった思いを初女さんにすっかり打ち明け、息を引き取ってゆくということも度々ありました。

Nさんのお骨が伝えたかったこと

数年前に六十二歳で亡くなったNさんとの出会いは、私にとって生涯忘れることのできないものです。Nさんは、旧制女学校を卒業した十六、七歳の若い頃に精神を病み、十八年の長きにわたって入退院を繰り返しながら、闘病生活を送った方です。三十歳を過ぎてようやく社会復帰したものの、社会に順応していくことは本人にとって容易なことではありませんでした。様々な仕事に就いてはみるのですが、結局長く続かず、私と知り合う数年前からは、働く気力もなくして、保護家庭として市のお世話になっていました。

普通の社会生活を離れてしまった彼女は、また元のように病院との関わりしか持てない、孤独な日々を過ごしていましたので、「どうぞ、いつでもお訪ねください」とお誘いしたのが出会いのはじまりでした。

Nさんは当初は笑うこともなく無表情で、言葉もいたって少なく、人生のすべてに対して否定的でした。お茶やお菓子を出しても、ほとんど手を出しませんし、ましてや食事などもまったく受け付ける余裕がありません。

「先生、私のようなものがここに来てもいいんですか」

「本当に食べてもいいんですか」

Nさんの言葉はいつも、沈んだ声で切り口上に、ぶっつり切られるように響きます。

彼女は、沢庵《たくあん》の切り方もうどんの煮方も知らず、料理はまったくといっていいほどできませんでした。でも、お掃除だけは得意でしたので、午前中に病院に行き、その帰りにお掃除をしに、「弘前イスキア」に通い始めるようになりました。それまでの彼女は、冬になると膝の関節が痛み、ほとんど寝て暮らしていたのだそうですが、その年は寒い吹雪の日でさえ、休まずにやってきました。

私はそのことに大変感謝いたしました。また、Nさん自身も他人のために働くことの喜びに力を得て、活気が出てくるのが伝わってきました。

Nさんの母親は、彼女の発作を恐れて、Nさんが小さいときから包丁を持たせなかったそうです。ここ二十年ほどは、自分では一切食事をつくらず、出来合いのおかずで過ごしていたようです。ですから、そういったもの以外は食べず嫌いで、味覚も疎《うと》く、はじめのうちは一緒に食事をしても張り合いがありませんでした。それでも掃除のあと、毎夕、私の手料理で食卓を共にしているうちに、Nさんはだんだんと心を開いてくれるようになりました。

「先生はお料理が上手だからおいしい」

と、にこにこして喜び、ときには、

「先生がお好きだから買ってきましたけれど、これでよろしいでしょうか」

と、新鮮な果物や野菜などを買ってくる気遣いをしてくれるまでになりました。他者に与える喜びをNさんも実感しはじめたようでした。そんな日々が五年ほど続きました。

Nさんには次第に明るい笑顔が見られるようになり、私の家に出入りをしている人たちとも家族同然の親しい交わりがはじまりました。と、まもなく、一人暮らしのNさんは自分の部屋で、事故とも過失ともわからないまま急逝し、私たちの前から去っていってしまったのです。

その日は旧知のK神父様をお迎えして、夫の十三回忌と二年前に亡くなった信徒のTさん、またその他のゆかりの人々のために、死者ミサを捧げていただくことになっていました。いつもNさんが座る席にその姿はなく、私はなんとなく心が騒ぎ、御ミサの間も何度も彼女のささやきが聞こえてくるような錯覚を感じていました。

市役所の保護課から思いもかけない知らせを受けたのは、御ミサが閉祭の歌に入ったときのことでした。神父様と一緒に病院にかけつけたときには、Nさんの遺体はすでに検死のために病院に運ばれたあとでした。検死が済むまで、彼女と私との六年間にわたる様々な思い出がかけめぐり、心臓の鼓動がおさえられませんでした。

Nさんはこの土地で生を享《う》けていますので身元引受人がいないというわけではありませんでしたが、事情があって、私がNさんの身元引受人になり、通夜から埋骨まで私が喪主を務めました。一人でも多くの人に見送ってほしかったので、告別式は夜にしました。市内に住む三人の神父様方、Nさんを偲ぶ信徒の方々が聖堂いっぱいに集まりました。

Nさんがイスキアの神父様と呼んで慕っていたK神父様のお別れのお説教は、とても感動的でした。参列した方々は「Nさんは幸せだったね」と生前の労苦をねぎらい、天国での安らぎを共に祈りました。

実は二年前、Nさんと同じ境遇のTさんが亡くなったとき、彼女は、

「Tさんのように私も先生にすべてをお任せしていいでしょうか」

と話していました。

私は、〈重荷を背負うものは私のもとにきなさい。休ませてあげよう〉（「マタイによ

る福音書」十一章二十八節）という聖句の重みをずっしり感じながら、

「神様のおそばでゆっくりお休みなさいね」

と抱いた遺骨に語りかけました。私は深い悲しみをおさえられませんでした。家族を失ったのと同じ思いでした。Nさんの人生はけっして恵まれたものではなかったけれども、最後の数年間は幸せに満たされて、神様に召されたことが、せめてもの慰めでした。

私は、最後にNさんにもう一度弘前を見せてまわりたいと思い、埋骨に向かう途中、遺骨を抱いて弘前市内を廻りました。遺骨が、箱を通して、私の体に熱く熱く、まるで焼けつくように感じられました。

あとで、他の人に「遺骨を抱くとそういう感じがしますか」と訊ねてみましたが、そのような体験をしたことのある人はいませんでした。

Nさんは最後に私に何を伝えたかったのでしょうか。今でも、私は彼女の使った掃除道具一つ一つに、思いを寄せています。

それまでの人生を凝縮する瞬間

私は、臨終というのは、それまで生きてきた生活すべてを凝縮する瞬間ではないかと思います。人は、その瞬間に、それまでその人が抱えてきたすべてのものを置いていくのではないでしょうか。厳しい気持ちで暮らしてきた人、何もかも受けとめるようにして生きてきた人、人は皆、それぞれの人生を映し出した、それぞれの最後の時間を迎えます。

「死についてどのように考えていますか」

という質問を受けることがよくあります。私には、死を恐れるとか、恐れないとか、そのような気持ちはありません。現在刻まれている一瞬一瞬を真摯に受けとめることが、死への準備になると考えています。

親しい人の臨終に立ち会うということは、本当に尊い体験だと思います。

優れた哲学者、神学者であると同時に、ヨーロッパの精神医学界の指導者であるポール・トゥルニエ博士によれば、人は死を前にしたときに一番強く、自分の心の内を

りんご

明かしたいと思うのだそうです。また博士は、

「人は死に際して非常に孤独なので、その恐れを取り除き、安心して心の内を話し合えるようにしてあげなければならない」

ともいっています。

私の叔母は、いつも人に迷惑をかけないようにと心を配りながら生きてきた人で、亡くなるときも最後は、治療も薬も何もかも断り、死に対して自分なりの心構えをしていました。

叔母は三人姉妹だった私の母の、一番下の妹でした。私は叔母の前向きな生き方が好きで、叔母もまた、年をとるごとに私を頼りにしてくれましたので、特別深く交流を続けていました。

八十歳を過ぎた頃から、叔母は体の不調を訴えるようになりました。あるとき、叔母と同居している私の従兄《いとこ》から、叔母が食べなくなり、ものもいわなくなって一週間になる、意識ははっきりしているけれど、ずっと目をつぶっているという知らせを受けました。私は、不安と動揺をおさえられず、すぐ叔母のもとに駆けつけました。

叔母はやせ衰えてはいましたが、私の声を聞くと、パッと目を開き、かすかな笑みを見せました。疲れさせてはいけないと思うので、ポツリ、ポツリと静かに話しかけましたところ、叔母は意外としっかりとした様子で答え、それはだんだん力強くさえなってくるようでした。

「叔母さん、信仰深かったものね」

この一言が、話したいと思っていても言い出せなかった叔母の気持ちを引き出したのでしょう。叔母は深く頷《うなず》き、長年かけて巡礼した由緒ある神社仏閣の説明をするのです。叔母は、こちらが「疲れないかしら」と心配するほど話し続けました。そしてひとしきり話した後、

「叔母さん、気になることないの？」

と問いかけると、

「今ひとつ気になっていることがあるので初女さんに頼みたい」

と切り出しました。

老人ホームに入居している従姉と、病気で寝ている友だちの見舞いに行けなかった

のでよろしく伝えてほしい。二人の姉より先に逝《い》くことは忍びないけれど、これも天から与えられた運命でどうすることもできないので先に逝く。私の亡き後けっして悲しむことのないように。くれぐれも体に気をつけ、元気に生きてほしい。米寿の姉には赤い頭巾《ずきん》と胴着を贈ってくれるように……。

そうして、すべてを話し終えた叔母は、すっかり自分の気持ちを置いて、この世を去っていきました。

焼き芋のふるまい

七年ほど前のある日のことです。一本の電話がかかってきました。

「私はもうだめです。一万円貸してください」

今にも消え入りそうなか細い声で、私は事態がただごとではないと察しました。

電話の主は、もうお付き合いして四十年にもなる女性でした。二人の子どもがまだ幼いうちに夫を亡くし、未亡人となりました。彼女自身が病弱で、子どもたちを自分の手で育てるのがとても難しかったので、彼女は私のもとに相談にきました。そこで私は、自分の関係の深い施設を紹介し、子どもたちを預かってもらうことにしたのです。

子どもたちが成人してからも、彼女は子どもたちと別々に暮らしながら、付添婦などの仕事をしていました。過労で仕事を続けられなくなると、休暇をとっては、私のところで一緒にご飯を食べ、一週間ぐらい休んではまた働きに出るという暮らしを繰り返してきました。

「一万円では足りないでしょう」

と、私は二万円と、手元にあった食べ物を持って、タクシーで彼女の家に駆け付けました。大変きれい好きな人だったのですが、そのときは、その人の部屋とは思えないほど、部屋中が荒れていて、本人はうつぶせに倒れていました。苦しくて病院に行こうとしたのだけれどお金がないといいます。私はそのまま彼女を入院させ、ひとりにはしておけないので付き添いさんを一週間という約束でお願いしました。その一週間の付き添いさんの最後の日に、私はお見舞いに行きました。

彼女は、苦しいとはいいながらも、声はしっかりしていたので、私はいろいろと話

をしていました。そのとき、ちょうど窓の下を焼き芋屋さんが通ったのです。彼女は付き添いさんに、

「焼き芋を買ってきてください。行ってしまいそうだから、早くお願いします」

と千円を渡しました。

彼女は買ってきてもらった焼き芋を病室の皆さんにお配りし、隣の部屋にもさしあげてくださいと付き添いさんに持っていってもらったりしていました。

私は、そんなに悪くなさそうな様子を見てひと安心し、家路につきました。ところが、容態が急変し、私が家に着く前に彼女は亡くなってしまったのです。連絡を受けて、私は病院に飛んで引き返しました。

彼女は人に物をあげるのが好きな人でした。でも、最後にはお金もなく、手元にあったわずか千円のお金で焼き芋をふるまうのが精一杯でした。それがお世話になった人たちに対する、彼女の最後の気持ちの表れでした。

入院する一週間前のことです。彼女は私の息子の結婚式に正装して列席してくれました。そのとき、お祝いに大きな鯛を持ってきてくれたのですが、その贈り主は、何

と、何十年も前に亡くなったご主人の名前になっていました。

「主人が亡くなったとき、私はもう生きているのも辛く、死にたい思いでした。それが、今日までこうして生きてこられ、子どもたちも一人前に成長しましたのは佐藤さんのお陰です。亡き主人に代わってお礼申し上げます。ありがとうございます」

彼女はそういって、深々と頭を下げました。

今振り返ってみますと、彼女はすでにそのとき、自分の死期を悟っていたのではないかと思えてなりません。

初女さんの枕元には、いつも電話が置かれています。真夜中に、苦しむ人からよく電話がかかってくるからです。

真夜中の電話

真夜中の電話はたいてい、悩みや苦しみを聞いてもらいたくてかかってくるものです。ですから私は、万一眠っていて電話に気づかないということがないよう、待たせないですぐ出られるよう、枕の側に電話を置いています。

「そんな時間の電話に出なくても……」とおっしゃる方もいます。でも、電話をかけてくる人にとっては、その真夜中とか明け方が、助けが必要な時間です。「こんな時間にすみません」とわかっていながら、電話をかけずにはいられないほど、苦しんでいるのです。

今、私は、いろいろなことが重なって、自分の眠る時間も削るようにして動いています。そのような状況に耐えられるのは、もしかしたら病気で命を落としていたかもしれないこの私が生かされている、そのことへの感謝と喜びに尽きます。

私は、何をするにしても、苦しみは苦しみとして受けとめますが、それが次には必ず喜びに変わっていくということを信じています。そうして前に進めば、「もう二度とこんなことはしたくない」という嫌な気持ちは残りません。

電話を切るときの声が、かけてきたときよりずっと明るくなっているのを聞くと、「聞いていてよかったんだ」という喜びを感じることができます。疲れはするけれど、体の内から力が湧いてくるような気がします。

友のためにいのちを捨てる

七、八年くらい前のことでしょうか。主宰していたろうけつ染め工房の仕事が忙しく、そこに信徒会長やガールスカウトの仕事も重なって、あるとき、背骨が張って、動くことも息をするのも苦しくなったことがありました。もうこれ以上続けるのはよくないと、すべての仕事を一週間ぐらい休んでみようと思いながら、布団に入って休むことにしました。ところが、布団に入って眠りかけたところで、また、訪れてくる人がありました。私は起きていって、

「私、今寝ていたのよ。具合が悪くて寝ていたのよ」

といったのですが、その人も大変な思いで来たので、私のいうことが耳に入らないようでした。家にあげ、話を聞いていたら夕食の時間になったので、自分は食べられる状態ではなかったのですが、彼女のために支度をして食べさせました。私の疲れはますますひどくなったのですが、相手はまったくそれに気づかないようで、夜の十時

頃までいて帰っていきました。

次の日は明の星学園の同窓会総会の前の最終の会議がありました。それはどうしても休めない会議でした。私は、これで青森まで行ったらきっと倒れて帰れなくなると思うほど辛かったので、親しくしていた役員に電話をして具合が悪いことを告げ、青森駅まで車で迎えにきてもらうことにしました。

あくる朝、電車に乗り、青森に到着するまでの間少しでも寝ていこうと目をつむるのですが、目が冴えてなかなか眠れません。

浪岡あたりを通過したときのことです。七月の末のことでしたから、電車の窓は全部開いていました。窓いっぱいぐらいの幅の、乳白色の雲のようなものが、私の座っているのと反対側の窓の外に、ゆっくりと流れていきます。それはなま暖かい感じで、私の目にははっきりと見えました。何かしらと思って、少し身を乗り出して見てみますと、聖句の文字が乳白色の雲に乗って流れてきました。

「友のために自分を捨てることほど、尊いものはない」

ハッとしたとたん、その聖句は乳白色の雲と共に消えてゆきました。隣の人も向かい側の人も、何事もなかったかのように話を続けています。どうやら、私だけに見えたものだったようです。そのまま学校へ行き、倒れることもなく、無事家に帰ることができました。

家に着くと、一冊の小冊子が届いていました。大阪の神父様からのものでした。その二日前に、

「佐藤さんのことを書いたのでその本を送ります。どうぞ読んでみてください」

という電話をいただいていました。

それは「真の友」という特集の冊子でした。そこで神父様は何と、

「友のためにいのちを捨てることほど、尊いものはない」

という聖句を引用して、弘前にこんな人がいる、と私のことを書いていたのです。

これはとても有名な聖句です。私は、聖句の意味は頭ではわかるけれど、人は実際に友のためにいのちを捨てられるものだろうか、そんなことが誰にできるのだろうか、この聖句は少しオーバーなのではないかと、ずっと疑問を抱いていました。

しかし、この不思議な体験から、私は聖句の本当の意味を心の底で感じとりました。

友のためにいのちを捨てるというのは、友のために自分の肉体をなくすということではない。例えば、具合が悪くて倒れそうなときでも、自分のことを先に考えるのではなく、まず友のことに心をかける、それが友のために自分を捨てることなのだとわかったのです。

自分が生きていなければ何事も始まらないのですが、その上で自分を無にして尽くすことで、人の心に響かせることができるのです。

今でも、時間に追われ、どうしようもなく苦しく、せつない思いをすることもあります。そんなとき、私はいつもこの聖句を噛みしめています。

Island in the Forest
of Peace
Drinking deeply here
of Living Waters...
Filling my Soul
with Love.
My heart is full
Thank You
Susan Osborn

初女さんへの手紙

スーザン・オズボーン（歌手）

夢の真珠

私が初女さんと出会って感じたことは、初女さんと会った多くの方も同じように体験したことだと思います。ほんの一部ですが、そのことをお話ししましょう。

私たちはお互いの共通の友人である龍村さんを通して出会いました。龍村さんは初女さんとお会いした後で、初女さんと私はいつか必ず出会わなければならないと確信したそうです。

私がはじめて初女さんに会ったのは、映画『地球交響曲　第二番』の中でした。映画の中の初女さんの手をみた瞬間、私は、私たちは出会う前からお互いのことを知っている、そして会えばそのことを確かめあえるということがわかりました。

一九九五年の春、私ははじめて青森、そして「森のイスキア」を訪ねました。そのとき私は日本でのコンサート・ツアーを終えて、とても休養を必要としていたのですが、イスキアは私に単なる休養ではなく、それ以上のものを与えてくれました。

イスキアに滞在している間、私は初女さんの心温かな食卓で心のこもったお食事をいただき、残りの時間のほとんどは、温泉に浸かり、昼寝をして過ごしていたように覚えています。言語の違いから、初女さんと私はほとんど話をしませんでした。ですが、言葉は必要ありませんでした。お互いを理解しあうまなざしと、ほほえみだけで充分でした。私たちの絆は結ばれました。

初女さんの食卓で、私たちは、第二次世界大戦終戦五十周年であるその年の八月に日本でコンサート・ツアーをするという、私の夢を実現するための計画を話し合いました。食卓を囲んだすべての方々から、特にフローム・ゆかりさんと仙台の門伝章弘さんからは、私の夢の実現のために、心のこもったサポートをいただきました。

私は八月にまた戻ってくることを確信して、心身ともにリフレッシュしてイスキアを去りました。

終戦五十周年を迎えた一九九五年八月。私は最初に神戸を訪れ、六日には広島、そして長崎をまわりました。

広島には初女さんと龍村さんも来られました。私たちは平和公園に集まり、日の出と共に、平和のためのお祈りを捧げました。

午後には広島に流れる川べりに立ち、紫、赤、白、緑と、色とりどりの数百本の日本の

伝統の傘が、優しく流れていく様を見ていました。それは、

「黒い雨を二度と降らせることのないように」

という祈りを込めた、アーティストたちからの贈り物でした。

そのとき私は、その川に浮かぶ傘のように愛らしい、深い意味と感謝を込めた心の贈り物として、日本の歌を歌い続けてきたシリーズの、最後を締めくくるアルバムをレコーディングすることを決心しました。

その後間もなく、初女さんがまとめてくださった弘前市でのコンサートのため、私は今回のツアーのピアニストのウォン・ウィン・ツァンさんと共に、再びイスキアを訪れました。

私たちはまたもや、心と体の栄養を満たす驚くほどのごちそうと、温泉と休養と、そして何よりもたくさんの愛をいただきました。

ある晩、ウォンさんに、新しいアルバムのアイディアをまとめるのに協力してくださいますか、と尋ねると、彼は快く引き受けて、イスキアにあった小さなオルガンを弾きはじめました。そして、まわりにみんなが集まってきて、それぞれ大好きな日本の古い歌を一緒に歌いはじめました。

みんなで変な夜な歌ったあの日のことを私は忘れることができません。みんなの歌声、

満月、そして、そこに加わった四人の尺八の演奏家とその音色……。

翌朝の瞑想中に、私は、今度のアルバムのタイトルは「THE PEARL（真珠）」であることを心で知りました。そのアルバムは、長い創造のプロセスであった私の日本での旅の、最終的な結果となるものでした。

朝食のときに、私がそのことを興奮して伝えると、初女さんは、彼女もかつて人生の大切な節目のときに、やはり真珠の夢を見たことを話してくださったのです。

弘前の自宅でイスキアを始めたばかりの頃、初女さんは夢の中で何かを探していました。そして彼女が見つけたのは、丸い玉、真珠だったのです。その夢を見てから一年後、神父様が「森のイスキア」の土地を浄めにいらしたときのことです。神父様は聖書をパッと開いて、その開けたところを読みはじめました。それは「偉大な価値ある真珠」の聖句でした。

これは何かの偶然でしょうか。私はそうは思いません。

イスキアで初女さんと一緒に囲む食卓、そこでいただく愛を込めてつくってくださったお食事は、人生は本当はシンプルなものであるということ、そして自分が誰であるか、また自分はこの地球上に何のために生まれてきたかということを、思い出させてくれます。

初女さんがこの本を書いていらっしゃる今、私はここイスキアでまた休養し、自分自身を再生しています。

この本がこの場所から旅立ち、広がり、人々の心に触れ、人々が探しもとめているものが何かを思い出させてくれることを、心よりお祈りしています。

一九九六年初夏　「森のイスキア」にて

第四章　秋　希望の鐘

「森のイスキア」は、先ごろ、
世界自然遺産に指定された白神山地のブナの原生林の麓にあります。
このブナの原生林は、冬の間に積もった雪を根元にしっかりと抱え、
麓に豊かで清らかな水を少しずつ供給します。

私たちの地方は、毎年十月には初雪が舞い、翌年の三月末まで雪に覆われるので、
一年の半分は冬という感じです。
ですからこの冬が寒くて嫌だと思うと、半年間を暗い気持ちで暮らすことになります。

でも、この冬が私たちに大きな恵みを与えてくださっていると思いますので、
私は冬の寒さが嫌だとは思いません。
冬の中にも春があります。この冬があるからこそ、
春も楽しく、春を待ちわびる心は、私たちに希望のともしびをともします。

「森のイスキア」に鐘を響かせたい

前にもお話ししましたように、私はまだ小学校に上がる前に聞いた鐘の音に呼ばれて、神様と出会い、信仰の道を歩んできました。

今、この岩木山の麓、大自然に抱かれて建つ「森のイスキア」でも、鐘を打ち鳴らすことができたらどんなに幸せでしょう。そんな夢が私の心に浮かび上がりました。

私はこの夢を、「森のイスキア」の土地を提供してくださった方にお話ししました。するとその方は、私の思いをよく理解してくださって、

「それでしたら、イスキアのための鐘をつくりましょうか」

とおっしゃってくださいました。何人かの仲間たちも加わって、鐘をつくるために動きはじめました。そんなとき、ある方から、

「鐘は注文してもできますが、それよりも、ヨーロッパなどの古い教会の使われていない鐘を探す方がよいのではないでしょうか」

という助言をいただきました。鐘の大きさや形は希望通りにつくることができます

が、その響きはできあがってみるまでわからないからです。そこで今度は、「外国へ行った機会に、古い教会などで使われていない鐘がないか探してきましょう」

ということになりました。皆さん海外旅行にでかける度に、気にかけて探してくださるのですが、それでもなかなか見つかりませんでした。ですが、誰も無理にことを進めようとはせず、皆、ときがめぐってくるのを静かに待っていました。

求めていた鐘は意外なところから与えられることになりました。私はあることで、自分の力ではどうすることもできないほどの苦しみを抱えておりました。私が大変辛い思いをしているのを知って、アメリカのコネチカット州ベツレヘムにあるレジナ・ラウデス修道院に縁の深い友人が、修道院に、

「自分の友達が今、大変苦しんでいるので、その友人のためにぜひお祈りをしてください」

と電話をしてくださったのです。彼女はそのとき、私が鐘を探し求めていることも、同時に修道院に伝えてくださいました。

するとき、電話をしてから二日目に、彼女のもとに修道院長様から、

「うちの鐘をさしあげましょう」

という手紙が鐘の絵とともにファックスで届きました。それからわずか十日あまり後、アメリカの修道院から、東京の税関を経て、鐘が弘前の自宅に届いたのです。一九九三年十一月十一日午後七時のことでした。

七十六本のネジ

鐘は厚さ三センチもある木の板が何重にも組み合わさって梱包されていました。そこには、しっかりとネジ釘が打ち込まれており、私の力でたやすく開けられるようには、とても見えませんでした。でも、早く見たい、今日中に何としても会いたいと、気持ちは高まるばかりです。明日まで待つことはできず、夕食をすませてから、すぐに箱を開ける作業に取りかかり始めました。

長い時間、何十回となく何百回となくネジ回しを回していると、だんだん肩も張ってくるのですが、どんな鐘が中から出てくるのだろうと思えば、途中でやめることは

できませんでした。一本一本、次から次とゆっくりネジ回しで板から釘を抜いていきました。ようやく終わったときには、すでに夜中の十二時を回っていました。

ほっと息をついて、抜いた釘を数えてみましたら、五センチから七センチ五ミリぐらいのネジ釘が、七十六本もありました。後で聞いたのですが、電動式の工具を使えばすぐだったそうです。でも、電気で開けないでよかったと思っています。手で抜いたネジの一本一本には、ずっと鐘を求めていた私の思いがすべて込められているからです。

鐘はまるで赤子のように、毛布やタオルケットで丁寧に大切にくるまれて、納められていました。

「無事によくここまで来て……」

私は鐘を目の前にした幸せで感無量で、夜がふけるのも忘れるほどでした。そして、ここまで事を運んでくださった皆さんに、感謝を捧げていました。

鐘を大切に守っていた木箱とネジ釘は、今でも大事に保管してあります。

「展開」しつづけて生きる

「森のお家《うち》は誰の家?」

ある日、孫の紀子と遊んでいたときに聞かれたことがあります。

「みんなのお家だよ、おばあちゃんね、みんなのお家を山にほしいと思っていたんだよ」

「そうなの」

「そうしたらできたんだよ」

「おばあちゃんの夢は寝てみる夢じゃないんだね。こうなればいい、こうなればいいっていうのがおばあちゃんの夢だもんね」

幼い孫がそこまで私の気持ちを受けとめていてくれたことは、本当に嬉しいことでした。孫のいうとおり、

「こうなればいい、こうなればいい」

と次から次へと夢を膨らませてきたのが、私の七十年でした。

時々、

「あんたもう十年若かったらもっといい仕事をしたのにねえ」

という人がありますが、私は、

「そんなことないわ」

と思っています。

私は、

「あなたは切り替えが早いね」

とよくいわれます。自分でもずっとそうだと思っていたのですが、ある頃からは、「切り替え」という言葉より「展開」という言葉が好きになりました。

「切り替える」というのは、一方的に区切りをつけて、他方に替わってしまうという感じがします。これに対して「展開」していくという言葉の中には、何かに区切りや見切りをつけるのではなく、それまでのプロセスをすべて含みながら新しく広がっていく、もう一歩はばたく、もう一歩開いていく、そんな意味を感じます。

私は何歳になろうと、「展開」していきたいと思います。今日と同じ明日は嫌いです。どんなに些細であっても、今日と明日は違うものであってほしいのです。ですから、七十歳を過ぎた今でも、精いっぱいできることをしています。そのように心がけていると、朝と昼、昼と夜、昨日と今日、今日と明日の間に必ず気づきがあります。毎日、気づきをして、気づいたことに忠実に沿っていく。それがどんな些細な気づきであったとしても、何十年もの間には大きな積み重ねになります。

みんなの夢を託された鐘は、雪解けを待って、取り付け工事にかかることにしました。どこに設置したらいいものだろうとしばらく思案していると、ある朝夢を見ました。森の家の玄関の上の、三角形の屋根の所に、鐘がついた夢でした。

施工会社とも打ち合わせを重ね、鐘は結局、三角の屋根の下に吊り下げることになりました。

聖母様の鐘

レジナ・ラウデス修道院から送られてきた鐘は、長い歴史を持つ、由緒ある鐘でした。一八一〇年にメキシコで鋳造され、重さは二十キロほどの青銅製で、表面には、一八一〇と鋳造された年を表す数字と、グアダルペの聖母の像が刻まれてありました。

グアダルペの聖母のことは、今でも物語として語り継がれています。今からおよそ四百六十年前のメキシコでのことです。十二月九日の夜明け頃、ミサに参加するために、丘の麓を歩いていた男を呼び止める声がありました。振り返ると、虹色をしたまばゆい雲の下に美しい貴婦人が立っていました。

「私はイエズス・キリストの母です。この丘の麓に聖堂を建ててください。私はここで貧しい人、苦しんでいる人を助けたいのです。私は愛と慈しみをもって、すべての人を守り、人々の嘆きや悲しみ、願いに耳を傾けましょう」

男は司教様に、聖母様の言葉をありのままに伝えたのですが、司教様は信じてくれません。男が聖母様にそのことを話すと、聖母様は「丘に登ってバラの花を摘んで持って行きなさい」といわれました。そこで男は十二月に咲くはずのないバラを摘んで、マントに包んで持っていって、司教様に見せました。すると色とりどりのバラが床に溢れ、そのマントに聖母様の尊いお姿が現れたのです。

聖母様は、いつの世も変わらぬ愛をもって、私たちと共にいてくださることを告げるために、このようにしてご自身の姿を残されたと語り継がれています。

このような立派な鐘が、私たちの手元に与えられたことは奇跡のようにも思えました。そして、それは私自身への神様からの励ましのようでもありました。

心に響く鐘の音

一九九四年初夏、私たちは、それまでお世話になった方々を「森のイスキア」にお招きし、鐘の祝別式をとり行いました。鐘の音に導かれてここまで来たという私自身の感謝の思いと、たくさんの方々の祈りが、ここに結集いたしました。

この鐘はとても澄んだ音色をしています。鳴らしていますと、鳥たちが集まってくることもあります。また、鐘の音を遠くで聞いて、どこで鳴っているのだろうと、ここを訪ねてきた親子もいました。

鐘の音を聞くだけでなく、自分で鳴らしてみたいとおっしゃる方も多くいます。そのような方々には、ただむやみやたらに音を出すのでなく、どうぞ心をこめて鳴らしてくださいとお願いしています。

「森のイスキア」ではお客様がお帰りになるとき鐘を鳴らします。「居心地はよろしかったでしょうか」「またお目にかかれますように」そんな思いを鐘の余韻に託して、お見送りしたいと思うからです。

幼い日の私は、教会の鐘の音に誘われ、信仰への道を歩みはじめました。ですから、このイスキアの鐘の音が、人々の心に響き、それによってひとりでも多くの人々が神様に出会ってくれることを願っています。

映画『地球交響曲　第二番』では、初女さんのつくった梅干しとおむすびが、多くの人の心をうちました。初女さんのもとには、今でも「あの梅干しのおむすびを食べたい」と訪れる人が、あとを絶ちません。

梅干しを漬ける

梅干しづくりは、大変手間のかかるものですが、手を抜かず、一つ一つの作業に心をこめることで、おいしく長持ちする梅干しができます。

私の場合は、まずはじめに、青梅を一昼夜真水にさらし、アク抜きをします。次に塩水に二、三日浸け、色を出すために紫蘇《しそ》の葉を入れます。青梅がしんなりしたところで、塩水からあげて、いよいよ干し始めます。

干すといっても、ただザルなどにあげて無造作に干すのと、一つ一つ丁寧に並べて干すのとでは、仕上がりがまったく違ってきます。

朝日が出る頃、塩水の樽から出し、こちらでは「おり板」と呼んでいる広い木の板の上に、重ならないように丁寧に並べます。どの梅にも満遍なく日光が当たるように、時々、上と下を返したりもします。太陽の光の向きは一日のうちでもかわりますので、陽射しに沿うように、干す場所も動かします。そうして、夕日が沈む頃、また樽に戻します。雨の日などは干せないので、そういう日は樽の中に入れたまま、静かにお天気になるのを待ちます。

これを、梅とお天気の状態を見ながら、一週間から十日間ぐらい繰り返します。梅に塩がなじんで、ふっくらとしたシワがよるのが、ちょうどよい状態です。

干すのを終えたら、また樽に戻します。赤くきれいな色をつけるために、紫蘇を入れ替えます。だいたい漬けてから一カ月ぐらいすると、食べられるようになります。

梅がおいしくなるためには、日照りばかりだけではなく、風も必要です。梅を干している間は、出かけるときにも、お天気が途中で変わらないかどうか、とても気をつかいます。出かけている間も、ずっと梅のことを気にかけています。そのような、こちらの気持ちにこたえるように、梅がおいしそうに真っ赤になって、「いい色ですね、良くできましたねえ」と人からいわれると、大変嬉しい思いです。来年もまたしよう、今年よりもっとおいしくなるように、という気持ちが湧き上がってきます。

梅干しの漬け方にはいろいろな方法があるようで、その味も様々です。最近は減塩がはやりで、塩を少なくする代わりに、蜂蜜や砂糖、おかかや酢を入れることもあるようです。私の梅干しに入っているのは塩だけです。自然のままの塩は、何よりも深い味わいを生み出してくれると思うからです。

「初女さんの梅干しは、すっぱくなくてまろやかでおいしい」

といって、皆さん、喜んで食べてくださいます。

体と心を浄化する

映画を観た方のほとんどが、

「あの梅干しを食べたい」

とおっしゃって、そのために、はるばる遠くから訪ねてこられる方もいます。ですから、昨年漬けた分はもう早くになくなってしまいました。あいにく今年は梅が不作で、梅の実の出回るのがいつもの年より一月以上も遅れて大変心配していたのですが、お店でみかけた人が買って届けてくださったり、また修道院からもお庭の梅をいただいたりと、多くの方々の心遣いのおかげで、今年も、よりたくさんの梅干しをつくることができました。

朝食に一粒ずつ出しましたところ、持って帰ってご主人に食べさせたいとおっしゃる方もいました。また、夕食の席で一度に三つも召し上がって、さすがにもう翌日はいらないだろうと思ってお出ししないでいましたら、どうしてももう一度食べたいとおっしゃる方もいました。

今、世の中にはありとあらゆる種類の食べ物があふれています。その中で、多くの人たちが、たった一粒の梅干しを求めて私のもとを訪れます。私たちの祖先は、昔から毒消しの薬として梅干しを大切にしてきました。複雑な世の中を生きる私たちの体と心は、浄化されたいと強く思って、梅干しを求めるのかもしれません。

そのようなことを思うと、私は喜びとともに、責任も強く感じます。ですから、皆さんにおいしく食べていただけることを祈って、ますます心を込めて漬けています。

塩はいのちのもと

ここ二十年ぐらい前から、何につけても「減塩」で、塩はすっかり悪者のようにいわれています。人が生きていくためには塩こそ大切というのが、食に対する私の信念でしたので、減塩ということにはほとんど心を動かさないできました。

今から四十年も前になりますでしょうか。知人の娘さんがあぐらをかいて座って、膝の上にお皿を載せて、何かを舐《な》めています。その女の子は中学生だったのですが、体つきが見るからに萎《な》えた感じで、立っているときや座っているときに、きちんと姿

勢を保つことができません。話す言葉も赤ちゃんのようでした。私が、

「何を舐めているの？」

と聞きましたら、彼女は、

「塩だ」

というのです。

彼女のお母さんは、十分に塩を食べさせてこなかったのでしょう。だから、彼女の体がいつまでも赤ちゃんのようで成長できず、今になって体が塩を求めているのだと、そのとき私は気づきました。以来、私は、一度も減塩しようとしたことはありません。もちろん、とりすぎることはよくないことです。私が目安にしているのは、食べておいしく感じられる塩味です。

「こんなに塩をとっているのだから、あなたは血圧が高いに違いない」

と、無理矢理病院の検査に連れて行かれたこともあります。結果はどこもまったく異常がありませんでした。

人間の体は、汗の中にも涙の中にも、また血液の中にも、塩が入っています。また、

この地球の大部分を占める海の水も塩水です。塩は人間の強い体と心をつくるのに欠かせないものなのです。最近は、このような考えに賛同してくださる方や、専門的に裏付けてくださる方も多くなってきましたので、私はとても嬉しく思っています。

塩、それも化学的に精製したものではなく、自然のままの塩は、そのままでいただいても、甘味があって、とても深い味わいがし、大変おいしいものです。私はお料理の味付けをするときには煮物も和え物も、途中まではお醤油を使っていても、最後は塩で味を調えます。その方が、素材の美しい色も持ち味もいかすことができると思うからです。

おむすびを握る

最近、私はいろいろな方と一緒にお食事をつくる機会が増えました。そこでご飯を炊こうとして、私が水加減をお願いすると、必ずといっていいほど、

「このお米は何合ですか」

と聞かれます。私が、

「お米が入っているのだから、それを見ればいいのに、どうしてそんなことを聞くんだろう」

と不思議に思っていますと、みなさん、

「いつもお釜の内側の目盛りをみて水加減しているので、何合かわからないとご飯が炊けない」

というのです。

お米は古いか新しいか、またその種類によっても、水に浸したときのふやけ方が違います。ですから私はお米のふやけ方を見て、そのときそのときに一番ちょうどいい量の水加減を決めています。ですから私はいつも、

「何合だからここまでお水を入れる、というのは知らないので、お答えできないんです」

とお返事をするのですが、そうすると皆さん、不思議そうな顔になります。

私はご飯を炊くことも人と会うことも同じだと思っています。ひとりひとりの抱えている悩みや苦しみがすべて違うように、お米の様子もそのときそのときで違います。

人に会っているときに、その人が今一番望んでいることは何だろうと心をつかうように、ご飯を炊くときも、お米の気持ちに添うように接したいと思っています。ですから私は、じっとじっとお米を見つめて、そのお米に一番合った水加減を決めます。

そのようにして炊きあがったご飯は、一粒一粒がふっくらと立ち上がって、見た目にも本当においしそうです。私の炊くご飯は少しかためです。私はおむすびにはかためのご飯がおいしいと思っています。

それをおむすびに握るときは、まずご飯をお櫃《ひつ》があればお櫃に、なければ寿司桶などの木の器に移して、粗熱をとります。私は握るときに、お水を手に付けることはしません。代わりに、塩を手にまぶして、手の上で熱いご飯と塩がとけあうように握ります。そうすると、ご飯がべたべたせず、海苔《のり》を巻いたときに香りがとても引き立ちます。握るときはお米をつぶさないよう、ご飯が呼吸できるよう、ふんわりと、でも食べるとぽろぽろ崩れてくるようでは困りますので、しっかり力も入れて握ります。

私の好きな大きさは、一合のご飯でおむすびがちょうど三つできる大きさです。中身は梅干しか焼いた鮭《さけ》です。魚の焼き加減にも、水気がほどよくぬけて香ばしくなるよう、とても心を配ります。

おむすびを包むときは、ラップフィルムなどを使うと、お米が呼吸できなくなってしまうので、ふきんにそっとくるむようにして包みます。こうしますと、時間が経っても、次の日になってもおいしくいただけます。

おむすびがいのちを伝える

おむすびというのは、日本中どこにでもあり、材料もごくごく簡単なものです。それが映画の中で、どうしてあんなに多くの人たちの心に響いたのかを考えてみますと、それは、最初にお米を水に浸すところから最後に握るまで、どの部分においても心が離せないからではないでしょうか。おむすびを握るということは、それを通して、握る人の心を伝えることです。

その心が食べる人に伝わって、特に心に苦しみを抱えた人においしく感じられ、力を与えてくれるようです。

もともとお米は日本人によく合った食べ物です。私の子どもがまだ小さかった頃、

床屋さんに連れていくと、床屋のおばさんが、

「子どもが熱や何かで脱水症状のようになってぐたっとしたときには、白いご飯を食べさせなさい。そんなときにかたいご飯を食べさせるなんて、と思うかもしれませんが、食べさせると子どもの体がしっかりしてきますよ」

と教えてくれました。ご飯が持っているそのような力を「穀力《ごくぢから》」というそうです。

自分はもう死にたいと思っていた人が、私のところに来ておむすびを食べたら、「こんなことをしていてはいけない」という気持ちになったそうです。それも、「穀力」のおかげかもしれません。

梅干しも、お米も、私は一粒一粒を大切にしています。お米をとぐときも、お米の粒が割れないように気を配ります。私は、食べ物の形は、その食べ物の心を映していると思っています。ですから、煮物をするときも、魚を焼くときも、ぐちゃぐちゃにしてしまうのでなく、素材の形を大切にしたいと思うのです。

先日、三十店以上ものコーヒー店を経営していらっしゃる社長さんがお見えになりました。その方は、コーヒー豆の一粒一粒にはいのちが宿っていると思って、何十年

も仕事をしてきたそうです。映画を観て、私のおむすびを握るときの気持ちが、自分とまったく同じだと、大変感激されたそうです。

一九九六年六月、初女さんに一つの悲しい別れが訪れました。ご主人の前妻の長女の貞子さんが、三年間の闘病生活の後、七十三歳でその生涯を終えたのです。

死者が遺してゆくもの

貞子の訃報《ふほう》に接したのは、講演先の神奈川県葉山でのことでした。覚悟していたこととはいえ、その知らせを聞いたときから、在りし日のことが次々と思い出されてきました。

貞子がとある市の繁華街の一隅に貸本屋を開業したのは、今から四十年前のことでした。戦後、人々の生活にまだ本を買って読むほどの余裕がなく、漫画本を中心に貸本屋が全盛をきわめた時期がありました。間口二間《けん》半の小さな店には、学校から帰った子どもたちが入れ替わり立ち替わり入ってきて、夕方から夜にかけては大人もやってくるので、店は一日中活気に満ちていたそうです。ある人は、「おばさん」、ある人は「姉さん」と呼び親しんでいたようで、店は終生独身で過ごした彼女にとっては生きがいだったのでしょう。

しかし、時代の波には勝てず、貸本は新刊書におされて下降線をたどるようになりました。転業する店も多くなったようですが、彼女は成り行きにまかせ、細々と、店を続けてきました。

三年前、彼女は乳がんを発病して手術をしました。経過は大変良好でしたので、私たちはひとまず安心していました。それが二年過ぎ、三年目に入る頃から、腰に痛みを訴えるようになりました。通院しながら療養を続けていたのですが、だんだん痛みがひどくなってきたので、精密検査を受けたところ、骨髄腫《こつずいしゅ》という診断でした。

貞子は医師のすすめる現代の治療も入院も拒んで自宅での療養を続けていましたが、だんだん食欲も減退し、体力の低下も著しくなって、六月にはとうとう入院のやむなきに至りました。

入院して治療を受け、痛みはおさまりましたが、意識は朦朧《もうろう》とするようになりました。昔のよき思い出を一つ一つ思い浮かべていたのか、表情にはいつも笑みを浮かべていました。わずか十二日間の入院生活の後、近親者や友人に看取られながら、彼女はこの世を去っていきました。臨終には間に合いませんでしたが、私も講演を終えたその足で駆けつけました。

お通夜の儀式も無事に終わり、参列してくださった方々もお帰りになった後、会場にはお手伝いの人と親族とが、翌日の告別式の打ち合わせのために残りました。

私たちのいた部屋の隣では、お通夜の準備から進行・接待まで、いろいろと心をくだいて働いてくださった壮年の方々が四、五名、和やかな雰囲気で話し合っていました。

私は貞子とはもう四十年以上も離れて暮らしていましたので、その方々がどのような関係の方々なのか、存じあげませんでした。お礼をし、ご挨拶申し上げたところ、その方々も自己紹介をしてくれました。

彼らは、皆、子ども時代に、貞子の貸本を読んで大きくなった人たちでした。今では、市会議員、青年会議所の理事、会社の経営者など、地元の中堅的存在として、活躍している方ばかりでした。

日頃から、私は、亡くなっていく人々は、大きなものをおいていってくれるので、残された者はいたずらに悲しむのではなく、故人の遺したものを大切にし、その人が生前望んだように生きていくのが、何よりもの感謝と慰めになると信じてきました。貞子のことも、何も特別のことはなく、ただ静かに生涯を終えたように思っていたのですが、集まった方々の幼いときの思い出話を聞いて、彼女が貸本屋のおばさんとして、多くの子どもたちに大地のようなぬくもりを与えていたことを、初めて知りました。私は、貞子のほんの表面しか見ていなかったのです。

生涯を幸せに送った人の死に顔は美しいといいます。貞子も最後に、実に安らかな美しさを私たちに残して逝きました。

全国各地で映画の自主上映が始まり、映画を観た人の数は、四十六万人を超えました。札幌から沖縄県の竹富島《たけとみじま》まで、初女さんの生き方に感動し、「気づき」を与えられた人々の輪は今も大きく広がっています。映画の上映会と共に、講演やトークショーの機会も増え、初女さんの訪れた場所は、一九九六年には三十三カ所、講演回数は七十八回と、初女さんの生活は大きく変わりつつあります。

自分らしく生きる、人と共に生きる

映画が公開されてから、いろいろな方々からお手紙をいただくようになりました。人それぞれ家庭の事情や病気など、抱えている悩みは様々ですが、寄せられるお手紙それぞれに共通していると感じるのは、みんな自分らしく一日一日を大切に生きていきたいと願っていることです。

自分らしく生きるということは、自分に素直であること、自分を高く見せたり、卑下したりせず、今のありのままの状態を自分で受けとめることだと、私は思います。でも、自分はこんな風に生きていきたいと思っても、人間は大変弱いものでもありますから、誰か一緒に支えてくれる人が必要になります。前にもお話ししましたように、その誰かというのは神様なのですが、神様は私たちの目には見えませんから、神様が宿る誰かの支えが必要になるのです。ひとりで苦しんでいると、「自分には何もできない」という否定的な気持ちになりがちです。しかし、どんなことでも諦めず、必ずできるという希望を持って前に進むことが大切なのです。そしてそんなときに、自分自身を受けとめてくれる人をみつけ、その人を信頼すると、まったく新しい力が湧いてきます。

何か新しいことを始めようとするときに、反対をする人も必ずいます。そのような人は決まって、いろいろと相手の心が不安になるようなことを並べて、「だからおやめなさい」といいます。私の結婚のときもそうでした。年齢の離れた人との結婚は、早く未亡人になるから不幸だと多くの人からいわれました。しかしその頃は戦争中だったので、いくら年齢のつりあった結婚の場合でも、早く未亡人になる人もいました。先のことはわからないのです。頭ばかりで考えて、悪い方に悪い方にと想像していくと、前に進めません。

「あなたは幸せで、辛い目にあったことがないから私の気持ちはわからない」という人もいます。そんなとき私は「そうだよね」と答えます。その人の抱える悩みが大変苦しいものだからこそ、そんな言葉が出てくると思うからです。

苦しみがわかるという恵み

ある女性を二週間ほど家に泊めたことがあります。ひとりでいると不安でたまらないということでしたので、夜もベッドを並べて、私は一晩中手を握っていました。

その人は歌を歌うのが好きで、いつも、

「歌いたい、歌いたい」

といって泣くのですが、こちらが、

「歌ってくればいいのに」

とすすめても、なかなか歌うことができませんでした。

それがある夜寝ているときに突然起き上がり、私の家の二階にあがって歌いはじめたのです。立っているときでもふらふらするほど体が弱っている人とは思えない、力強い歌いぶりでした。私が、倒れでもしたら大変なので、「もう休んでは」と声をかけると、子どものように素直になって「はい」と返事をして、寝室に戻ってきました。

彼女は、歌っている間、青空高く舞うヒバリになって、下の世界に色とりどりの美しい花が咲いているのを見ていたと、晴れやかな顔で話してくれました。

私はその話を聞いて、歌っている間、彼女の肉体はそこに存在したけれど、魂はもう現実の世界にはなかったのだと、感じました。現実から飛び立てずにいたことが、彼女にとっては何よりも苦しいことだったのでしょう。

後になって、彼女と同じような心の病から回復した人と話をする機会があり、私はそのときのことを話しました。その人は、

「自分もまったくそのとおりだった。本当に苦しいときは、目の前に食事があってもそれをどうやって食べたらいいのかわからないほどだった。でも、健常な人にはその苦しみがわかってもらえないことが、何よりも辛い」

と話してくれました。私は、自分が胸の病で長い間苦しんできましたので、そのような心に苦しみを抱えた人たちの気持ちもわかるのかもしれません。そのことを私は、

かけがえのないお恵みだと感じています。

すべてをありのままに受けとめる

心の苦しみを抱えた人たちを前にして、

「そんなに苦しいはずがない」

「わがままをいっているだけなのだから、甘やかしてはいけない」

という人も、少なくありません。

私は、その人が私に訴えようとすることを決して否定しません。どんなときでも、相手のいうことをすべて信頼を持って受けとめたいと思っています。傍からは、

「そんなに大変なことではないのに」

と見えることであっても、本人にしてみれば、そのときその問題がすべての苦しみの源になっています。だから、その重みのままに受けとめたいと思いますし、人に対しても、

「優しさをもって、ありのままに受け入れてあげてください」

と確信をもっていうことができます。

こうやって、たくさんの人を受けとめてきますと、

「ストレスはたまりませんか」

「自分の悩みや苦しみはどうやって解消しているのですか」

ということもあちこちで聞かれます。

辛いこと、腹立たしいことがあるとき、私はまず自分のそういった思いを強く感じるようにしています。感じることを中途半端にはしません。そうすると煮えくり返るほどの怒りがこみあげてくることもあります。また、心の中であまりにも強い葛藤を感じて、疲れ果ててしまうこともあります。苦しんで苦しんで、もうこれ以上苦しむことができないというところまでいくと、後はもう自分ではどうにもできなくなって、神様にすべてをお任せしようという心境になります。すると、必ずそこから這《は》い上がる道が見えてきます。

お料理とお裁縫で気分転換をすることもあります。私はもともと手仕事が好きですから、そういった作業には自然に入り込むことができます。すると疲れも何もかもす

うっと消えてしまいます。

そして何よりも、私は、受けとめることによって、自分もまた大きなものを与えられているのだということを、大変強く感じます。支えることによって、私もまた支えられています。人は、いつも誰かと共に生きています。また、苦しみは決して苦しみだけに終わることなく、いつかは必ず喜びに変わります。

気づきの波動を見つめる

イスキアを訪れる人たち、お手紙をくださる方々、お話をしに出かけていって出会いの恵みをいただく方々は、どの人も皆何かを探し求めています。いろいろな勉強をし、様々な経験を重ねて、その上で、何か本物のことを強く求めています。私には、その人たちの気持ちが一つにつながって、大きな波動になっているのが、目には見えませんが、はっきりとわかります。一つ一つの波動が、さらに別の波動と結ばれて、力強く進んでいるのが感じられます。

本物を探し求めてもすぐには結果は出てこないので、今はまだ模索している途中なのかもしれません。ですが、その波動の動きは、ひとりひとりの個人の力を超えて、何かもっと大きなものを、少しずつよい方向に変えています。

最近、以前に比べて、日本中のいろいろなところに求められて出かける機会が増えてきました。私は、今は、多くの方に直接触れ合って自分の七十余年の体験の中から得たこと、感じたことを伝えたいと思っているので、時間の許すかぎり出かけていきます。

多くの方とお目にかかるようになっても、私がひとりひとりの方と深く結ばれているということには変わりがありません。また、お目にかかるひとりひとりとの出会いの中に、日々新しい気づきがあります。そして、見知らぬ方同士がイスキアを通じて知り合い、結ばれ、また新しい波動が生まれていくのを、私はずっと見つめております。傍からみれば私は忙しくとび回っていますが、私の心は、とても静かに、その動きを見ているのです。

そのことが今の私にとっての生きる喜びであり、希望です。ですから、私は、自分があとどのぐらい生きられるだろうということは、あまり考えていません。

「初女さんがお元気でいられなくなったら、イスキアは誰がやっていくんですか」

と心配する方もいます。でも、どんなに先のことを案じて何かをしようとしても、結局は、ただ欲求だけがエスカレートし、それが満たされない不安な気持ちを駆り立てるだけではないでしょうか。

前にもお話ししましたが、「心の貧しい人は幸いである」という聖句があります。この句にはいろいろな解釈があるのですが、私は「心の貧しい人」というのは今を満足する心だと受けとめています。今を満足し、嘘《うそ》や偽りなく正直に生きていれば、今日の満足が明日の希望になり、先のことは不安になりません。

私は、自分がこれまで人とは違う立派なことをしてきたとはまったく思っていません。ただ、自分のしたことをごまかして嘘をついたり、自分をよく見せようとして偽ったりすることだけはせずに、生きてまいりました。ですから、私は今とてもやすらかな気持ちです。

ひとりひとりのために心を尽くすことを大切にし、人生の最後のときまで、真実に生きていきたい、私はいつもそう願っております。

初女さんへの手紙

おむすびで、縁むすび

晴佐久昌英（カトリック司祭）

先日は「森のイスキア」で心あたたまるおもてなしをいただき、ありがとうございました。初女さんにお会いできたことはもちろんですが、初女さんのまわりに集まる素敵な人達にめぐり合えたことがとてもうれしかったです。みんなそれぞれ自分の夢を持ち、人の夢にも共感しあえる、愉快な方たちばかりですね。出会いは、力です。「森のイスキア」での出会いを通して、ぼくは自分の夢を信じる力をもらいました。

初女さんを初めてお見かけしたのは、一九九五年の五月、渋谷の「シネマライズ」のスクリーンの中でです。もう夏を思わせるような日差しの強い日でした。ぼくは四谷のイグナチオ教会で結婚式の司式を終えてから急いで渋谷に向かい、汗をふきふき『地球交響曲　第二番』のチケット売り場に並んだのです。

実は、その時のお目当てはジャック・マイヨールでした。ぼくはたまたま、都内の潜水プールでジャックさんとふたりっきりで潜ったりしたご縁もあって彼のファンであり、彼がイルカと潜る姿をスクリーンで見るのを楽しみにしていたのです。

しかし、映画の初めに登場したのは佐藤初女さんという、見知らぬ女性でした。画面の中のその方は岩木山の麓に「森のイスキア」という家を建て、人生に疲れた人、心を病んだ人をひととき受け入れて、旬の食べ物を素材のいのちを生かすように調理して食べさせていました。みずみずしいおしんこ。いきいきとした和え物。魂を持っているかのようなおにぎり。東北の森の奥で、一人の女性が大地の恵みを魔法のように「ごちそう」に変えていく姿を見て、まるで現代のおとぎ話を見ているような気がしたものです。映画が終わるころには、ぼくはすっかり初女さんのファンになってしまいました。

ひとつ気になったのは、初女さんのような活動をしていると、うれしいことも多い反面、大変なことも多いという事実です。ぼくも神父として、みんなの出会いのために様々な集いをプロデュースすることが多いのですが、そのたびに面倒なこと、いやなことがあって、こんなことなら何もしないのが一番だと思うことさえあります。一口に「森のイスキアを主宰」といっても、その陰にはきっと、つらいこともいっぱいあるはず。それを乗り越えていく元気と勇気を、初女さんはどのように得ているかが、つい気になったのです。

その日、映画館を出てまぶしい渋谷の街に立ちつくし、おなかが空いているのに入りたいお店がなくて困ったことを、よく覚えています。頭の中は初女さんのおいしそうなおにぎりでいっぱいなのに、見回せばハンバーガーショップに気取ったイタリア料理店、おしゃれな居酒屋に高級そうなケーキ屋さん。いつも見慣れた光景のはずなのに、なぜかその時は違和感を感じました。ぼくはにぎわう通りを歩きながらふと、初女さんとお話ししたいな、と思いました。そのころはまだ、ちょうど一年後にお会いできるとは思ってもみなかったのですが。

一九九五年の「日本カトリック映画賞」は『地球交響曲　第二番』を監督した龍村仁監督に贈られました。この賞を出しているのは「カトリック映画視聴覚協議会」というところで、ぼくはそこの副会長として選考委員をしています。当初は『深い河』を監督した熊井啓監督が有力だったのですが、ぼくは強く『地球交響曲　第二番』を推しました。それは、この映画が単に映画として優れているだけでなく、この時代にあって人々の覚醒を促す、重要な作品に思えたからです。さらに、この映画を応援することが初女さんを応援することにもつながるんじゃないか、という気持ちもありました。

授賞式とその後のパーティーで、龍村監督から、監督と初女さんとのいわば「必然とも言える偶然」の出会いについていろいろと聞くうちに、ぼくはこの映画が出会いの映画であることに気づかされました。不思議な出会いによって作られ、さらに不思議な出会いを生んでいく映画。そのシンボルが、まさに出会いによって作られ、さらに出会いを生んでいく「森のイスキア」なのでしょう。

ぼくはちょうど映画についての雑文を連載中のある雑誌に、「映画を通じて不思議な出会いがあるのはなぜか？」というタイトルでそのことを書きました。また、ぼくが主宰している「天国映画村」の通信でも、初女さんの活動のことを「イエスを囲んで疲れた人々が集まったら、おいしいパンがあふれ、皆共に食事して仲間になったという、教会の原点を思わせる」と紹介し、「それにしてもあのおにぎりのおいしそうだったこと！」と書きました。

それこそ、ご縁とは不思議なものです。めぐりめぐって初女さんはその文章をお読みになっていたのですね。しかもとても励みに思って頂いたとか。それどころか、ちょうどそのころぼくが入院して手術したことも人づてに聞いて知っていたとは、夢にも思いませんでした。ましてや、そんなぼくを元気づけるために、ぼくが「おいしそう」と書いたおにぎりを、ぜひとも食べさせたいと思って下さっていたことも。

退院したある日、宅配便が届きました。差出人の名前に「佐藤初女」とあるのを見て、一瞬、誰のことか分かりませんでした。まさかあの初女さん？　といぶかりながら包みを開け、中を見て、これは間違いなくあの初女さんだ、と確信しました。そこには、かごに入ったおにぎりが十個並んでいたからです。

添えられたお手紙を読みながら、ぼくは胸を熱くしました。突然おにぎりを送る非礼をわび、見ず知らずの一神父の健康を気にかけて下さっているのです。そのあったかなこころが、大きな海苔に包まれてくろぐろと光っている十個のおにぎりにこもっているのが、しみじみと伝わってきます。そのひとつを手にしながら、ぼくは「ああ、これが初女さんの秘密なんだな」と、一人得心しました。

日本広しといえども、宅配便でおにぎりを送る人が何人いるでしょうか。それは結構手のかかることであり、相手に迷惑ではないかとつい躊躇《ちゅうちょ》してしまうことでもある。しかし初女さんはごく自然な気持ちでご飯を炊き、おにぎりを作り、かごに並べてタオルでくるみ、弘前から東京まで送るのです。

ぼくは、おにぎりを載せて走る宅配便のトラックのことを想像しました。夜の東北道をひた走る十個のおにぎり。目に見えない想いの、目に見えるしるし。人と人が心を通わせあうことのすばらしさ。そのおにぎりはもはや、人との出会いを神との出会いと信じる初女さんそのものなのでしょう。

おにぎりのことを、おむすびとも言いますが、初女さんはおむすびを結ぶことで、実は人と人とのご縁を結んでいるのです。それは、みんなを結ぼうとしている神様のお手伝いであり、最高に楽しい生き方でもあります。どんなつらいことも乗り越える初女さんの元気と勇気の秘密は、きっとその楽しさにあるのでしょうね。

それから三カ月後、弘前で初めて初女さんにお会いした時、勝手ながら古い友人に再会したような親しみを感じました。そのとき最初に交わした会話が、この「おむすびで、縁むすび」のお話でしたね。それがこの度の初女さんのご本の題名にも響いているとか。きっと、そのご本を通して、読者との素敵なご縁がたくさん生まれることでしょう。その本もまた、初女さんの結んだひとつのおむすびになるのですから。

一九九六年　十月

あとがきにかえて

私の七十余年の人生は、ごく平凡なものでありましたが、そのような平凡な人生の中にも、不思議な出会いが数多くありました。一つの出会いが次の出会いにつながり、その綿々としたつながりの中に、今の自分があるのだということを、大変強く実感しております。

このような思い出を自分なりにまとめてみたいと思っていましたところ、思わぬご縁で龍村仁監督との出会いが訪れました。

初めてのとき、私は龍村監督がどのようなご用でお訪ねくださるのかも知らずにお目にかかりました。その日の夜のうちに、監督は私を『地球交響曲　第二番』の出演者とすることを決断なさったのでした。お話をいただいたとき、私は、これは誰に相談することでもない、自分自身で決めることだと思い、何のためらいも不安もなく、ほぼ即答に近い形で、お受けいたしました。映画が成功し、観る人に何か感じてもらえればいい、そのお手伝いが私にできるのであれば、という気持ちでした。

監督はこのときのことを「電撃的な出会い」とおっしゃっています。私は監督とほんのわずかお話をしただけで、「この方は互いに通じ合える人だ」ということを感じておりました。このような「通じ合える人」に出会えることは、私の人生最大の喜びの一つです。

初めていらっしゃってから一週間後には撮影が開始されました。冬の風景を撮影するのに急がないと雪が解けてしまうということで、こんなに早く撮影が始まりました。私は撮影というのは、ストーリーがあって、それに従って監督が指示を出して進められるものと思っていましたが、今回の撮影では、私のごく自然な日常の生活をお撮りになるということでした。ですから、私も何の気負いもなく、ふだんのままに動いておりました。

撮影が進むにつれて、私もいろいろ好奇心が湧いてきまして、自分なりに何かを準備するようなこともありました。監督はそれらをすべて受けとめてくださいました。映画の中には、すりこぎや梅干し、おむすびも登場しますが、これらもはじめから予定されていたことではなく、監督との会話の中から、生まれてきたものでした。

撮影は、ロケ五回、のべにして八カ月、私にとっては大きな喜びのうちに終わりました。今考えてみれば、私は自分のこれまでの七十余年のことを自分なりに何らかの形でまとめておきたいと思い、古い写真やそれまでに書いた文章を整理したりしていたのですが、それらは、映画のための準備としての、神様のお計らいだったのかもしれません。

映画が公開されて、思いもかけない大きな反響をよび、今でも毎日のように感動したというお手紙をいただきます。温かいメッセージからは、今多くの方々が、真剣な思いで「何か」を強く求めていることが伝わってきました。

このたび、龍村監督とPHP研究所のおすすめがあって、このような本を出版いたしますことを決心いたしました。私が本を出すなど思いもよらなかったことですが、イスキアについて、食について、奉仕について、私の思うところをありのままに綴りました。お読みになった方の心に何かを響かせることができれば、大変幸せに思います。

本はここで終わりますが、私自身は、立ち止まることなく、日々新しい一歩を生きてまいりたいと願っております。

一九九七年　春まだ浅い「森のイスキア」にて

佐藤　初女

のイスキア

森のイスキア

文庫版の完成によせて

今冬は何十年来の豪雪に見舞われ、「森のイスキア」の小さな建物はすっぽり雪に包まれていました。あの雪はどこに消えていったのか、自然の偉大な営みを感じるこの頃です。

日々諸事に追われて暮らしているので思うにまかせず、あとがきの締切も既に過ぎ、さらにのばし、ぎりぎり今日になりました。それが奇しくも息子の満三年目の命日にあたるとは計り知れない摂理を思うのです。

想いおこせば八年前『おむすびの祈り』の完成本が届いたとき、日中どうして息子が私の家にいたのか定かでないのですが、私が開封しているのももどかしそうに、「母さん、早く見せて」と私から受け取り、むさぼるようにすごい速さで読みはじめた様子は今も鮮明に浮かんできます。全部読み終える時間はなかったはずなのに、「母さん、この本出る（売れる）よ」。「出たらいいけれど出なかったら出版社に悪いからね」。不安にかられている私を見て「いいことばかり書かれてない、言いにくいこともそのままだから」。こんな短い会話を残して出かけて行きました。息子は常々他人では言いづらい私の言動をたしなめてくれていたのです。もし他の人から同じことを言われたなら素直に受けとめられるだろうか？と考えさせられることが度々ありました。この時も忌憚なく言ってくれた息子の言葉で少し安堵しました。

それから十七回の増刷を重ねる度にこの日の会話を思い出しておりました。

文庫本にしてくださった集英社の武田和子さんに感謝いたします。武田さんとの出会いは、九五年『地球交響曲　第二番』の試写会のあとの懇親会の席でした。私にとって映画にかかわる最初の取材依頼でした。以来遠からず近からずほどよい距離で信頼の交流が続けられていたことが今回のお話につながったと思います。

伝えることは言葉・行動にもよりますが、深く浸透していく本にもまた不思議な力があることを、この本を通じて出会う多くの方と、また寄せられるお手紙を通じて感じております。この文庫本の完成がまた新しい出会いを呼ぶことと思っています。

二〇〇五年　新緑を背景に残雪の岩木山を眺めて

佐藤　初女

□写真
岸圭子
P6，8，66，115（下），250（撮りおろし）
P18，26，35，43，55，69，79，120，160，167，245
（提供　集英社『MORE』編集部）

映画『地球交響曲　第二番』より
P3，12，14，106-107，108，115（上），140，179，191，198，214，223，228，238
（提供　株式会社オンザロード）

豊田都
P10，153，192，201，251
（提供　集英社『SPUR』編集部）

本作品は一九九七年六月、ＰＨＰ研究所より『おむすびの祈り
〈いのち〉と〈癒し〉の歳時記』として刊行されました。

集英社文庫

おむすびの祈《いの》り「森《もり》のイスキア」こころの歳時記《さいじき》

2005年7月25日　第1刷
2016年6月14日　第12刷

定価はカバーに表示してあります。

著　者　佐藤初女《さとうはつめ》

発行者　村田登志江

発行所　株式会社　集英社
東京都千代田区一ツ橋2-5-10　〒101-8050
電話　【編集部】03-3230-6095
【読者係】03-3230-6080
【販売部】03-3230-6393（書店専用）

印　刷　凸版印刷株式会社

製　本　凸版印刷株式会社

フォーマットデザイン　アリヤマデザインストア　　マークデザイン　居山浩二

ISBN978-4-08-747844-0 C0195